MARIE-CLAUDE LORTIE

Critique gastronomique à La Presse

RESTOS
MONTRÉAL
2014

LES PETITES ET GRANDES TABLES
DE LA MÉTROPOLE ET DES ENVIRONS

7e ÉDITION

D1226264

Catalogage avant publication de Bibliothèque et Archives nationales du Québec et Bibliothèque et Archives Canada

Lortie, Marie-Claude
Restos Montréal
Publ. antérieurement sous le titre : Solutions restos. 2008.
Comprend un index.
ISSN 1922-6365
ISBN 978-2-89705-196-9
1. Restaurants - Québec (Province) - Montréal, Région de - Répertoires.
I. Titre. II. Titre : Solutions restos.
TX907.5.C22M6   647.95714'2805   C2010-300841-1

Présidente Caroline Jamet
Directrice de l'édition Martine Pelletier
Directrice de la commercialisation Sandrine Donkers

Éditrice déléguée Sylvie Latour
Graphisme de la couverture et de la grille intérieure Yanick Nolet
Mise en page et infographie Célia Provencher-Galarneau
Révision Sophie Sainte-Marie

L'éditeur bénéficie du soutien de la Société de développement des entreprises culturelles du Québec (SODEC) pour son programme d'édition et pour ses activités de promotion.

L'éditeur remercie le gouvernement du Québec de l'aide financière accordée à l'édition de cet ouvrage par l'entremise du Programme de crédit d'impôt pour l'édition de livres, administré par la SODEC.

Nous reconnaissons l'aide financière du gouvernement du Canada par l'entremise du fonds du livre du Canada (FLC).

LES ÉDITIONS **LA PRESSE**
Les Éditions La Presse
7, rue Saint-Jacques
Montréal (Québec)
H2Y 1K9

TABLE
DES MATIÈRES

AVANT-PROPOS 13

LES COUPS DE CŒUR DE L'ANNÉE 16

POURQUOI ALLEZ-VOUS AU RESTAURANT ? 19

Pour une grande occasion
La Chronique 20
Toqué ! 21
Le Club Chasse et Pêche 22
Maison Boulud 23
Milos 24
Laurie Raphaël Montréal 25

Pour tout simplement bien manger avec des amis
Au Pied de cochon 26
Joe Beef 27
La Porte 28
Pastaga 29

Pour faire des découvertes
Bouillon Bilk 30
Van Horne 31
Sinclair 32
Les 400 Coups 33

Pour voir du monde (et bien manger)
Le Filet 34
Hôtel Herman 35
Bar & Bœuf 36
Hostaria 37
Nora Gray 38

Pour un rendez-vous galant
Lawrence 39
Laloux 40

Pour boire du bon vin

Vin Papillon 41
Accords 42
Pullman 43
Pop ! 44
Buvette chez Simone 45

AVEC QUI ALLEZ-VOUS MANGER ? 47

Pour un bon repas d'affaires

Le Contemporain 48
Ferreira Café 49
Graziella 50
Renoir 51
Brasserie T ! 52
Europea 53

Pour un lunch entre amis ou collègues

Kazu 54
Café Holt 55

Pour bien recevoir des visiteurs étrangers

Maison Publique 56
Olive et Gourmando 57
Schwartz's 58
Les Îles en ville 59
Bistro Cocagne 60
Cabane à sucre du Pied de cochon 61
L'auberge Saint-Gabriel 62

Pour un souper de filles allumé

Furco 63
Helena 64
F Bar 65
Kitchenette 66
Portus Calle 67

Pour un souper de gars sympa

Sir Joseph 68
Grinder 69
Big in Japan 70
Icehouse 71
Liverpool House 72

Pour faire plaisir à tout le monde
Impasto 73
Inferno 74
Leméac 75
La Salle à manger 76
L'Express 77

Pour sortir des lieux communs en famille
Le Gros Jambon 78
Le Nouveau Palais 79
Pizzeria Magpie 80
Bottega 81
Prato Pizzeria 82
Solémer 83
Ezo 84

QUEL PRIX VOULEZ-VOUS PAYER ? 85

Un bon repas à bon prix
Le Labo culinaire 86
Le Comptoir charcuteries et vins 87
Au Cinquième Péché 88
La Fabrique 89

Apporter son vin...
Tandem 90
Quartier général 91
Talay Thai II 92
Khyber Pass 93

Mes coups de cœur pas chers du tout
Kanbai 94
Ta Chido 95
Imadake 96
Piada 97
Arouch 98
Qing Hua 99
Le Roi du wonton 100
Noodle Factory 101

QUEL GENRE DE LIEU CHERCHEZ-VOUS ? 103

Une bonne terrasse
Tasso bar à mezze 104
La Famille 105

Manger dans la rue
Grumman 78 106
Satay Brothers 107
Crêperie du marché 108
Aqua Mare 109

On va chercher le repas ?
Triple Crown 110
La Bête à pain 111
Bofinger 112

QUEL GENRE DE CUISINE VOULEZ-VOUS GOÛTER ? 113

Des sushis
Park 114
Tri Express 115
Jun-I 116

Des tapas
Tapeo 117
Pintxo 118

Du poisson
Elounda 119
Lezvos Ouest 120

De la cuisine de bistro réinventée
Hambar 121
Les Cons Servent 122
Bistro Chez Roger 123

De la cuisine végétarienne
Santa Barbara 124
La Panthère verte 125
Pushap 126

De la cuisine pour voyager

Gus 127
Maïs 128
BarBounya 129
Mezcla 130
Ruby Burma 131
Mangiafoco 132
Scarpetta 133
Omma 134
Damas 135
Thaïlande 136
Devi 137
Aux lilas 138
Chipotle & Jalapeño 139
La Caverne 140

Un petit-déjeuner ou un brunch

Régine Café 141
Boulangerie Guillaume 142
Arhoma 143
Brasserie Réservoir 144

Du bon fast-food pas industriel

Blackstrap BBQ 145
Village Grec 146
Le Garde-manger italien 147
Dépanneur Le Pick Up 148
Lapin pressé 149
M: BRGR 150
L'Anecdote 151

Un lunch rapide de qualité

Mandy's 152
SoupeSoup 153
TA 154
Vasco da Gama 155
Banh-mi Cao-Thang 156
L'Échoppe des fromages 157
Histoire de pâtes 158

Un dessert seulement

Chez Vincenzo 159
La Cornetteria 160
Kem CoBa 161
De farine et d'eau fraîche 162
Pâtisserie Rhubarbe 163
Les Givrés 164
Le Bar à chocolat 165
Mamie Clafoutis 166
Havre-aux-Glaces 167

Un bon café

Saint-Henri micro-torréfacteur 168
Melk 169
Pikolo 170
Café Névé 171
Flocon Espresso 172
Caffè In Gamba 173
Café Myriade 174
Jonah James 175

RESTOS DE QUARTIER 177

Hochelaga-Maisonneuve
Le Chasseur 178

Plateau-Mont-Royal
Renard artisan bistro 179

Saint-Lambert
Primi Piatti 180

Mile-End
Mythos 181

Snowdon
Deli Snowdon 182

Ahuntsic
Le St-Urbain 183

Boucherville
Le Comptoir gourmand 184

Quartier chinois de l'ouest du centre-ville
La Maison du nord (Bei Fang) 185

Rosemont
M sur Masson 186

Saint-Henri
Tuck Shop 187

Sainte-Thérèse
Campagna 188

Terrebonne
Au Just Thaï 189

Vieux-Montréal
Titanic 190

Westmount
Brasserie Central 191

OÙ FAIRE LES COURSES ? MES COUPS DE CŒUR 193

Épiceries générales
Latina 194
Fou d'ici 195
Les Douceurs du Marché 196
Gourmet Laurier 197
Maître Boucher 198

Pâtisseries
Yuki 199
Fous desserts 200

Chocolateries
Chocolaterie À la Truffe ! 201
Les chocolats de Chloé 202

Épiceries italiennes
Milano 203
Drogheria Fine 204

Épiceries orientales
Chez Apo 205
Akhavan 206

Épiceries asiatiques
Aliments Miyamoto 207
Kim Phat 208

Fruiteries
Birri et frères 209
Chez Louis 210

Boutiques spécialisées
Boucherie Lawrence 211
Olive et Olives 212

CIRCUITS GOURMANDS 213

Journée avec les beaux-parents de Boucherville 214
Journée pas trop chère 216
Journée avec les cousins de Québec 218
Journée Vieux-Montréal avec des touristes 220
Journée de week-end avec de jeunes enfants 222
Journée de filles 224
Journée pour *foodies* 226

TOUS LES RESTOS QUARTIER PAR QUARTIER 228
AUTRES SOLUTIONS 231
INDEX ALPHABÉTIQUE DES RESTAURANTS 242
INDEX ALPHABÉTIQUE DES ÉPICERIES 244
REMERCIEMENTS 245

AVANT-PROPOS

Encore récemment, un chef venu de Scandinavie m'a posé la question, la même que vous me posez toujours : « Allez, Marie-Claude, dis-moi : quelles sont tes cinq adresses préférées à Montréal ? »

Pas été capable de répondre simplement.

Parce que je n'ai pas cinq adresses préférées. J'en ai beaucoup plus que ça. Il y a mon café préféré – le Saint-Henri –, ma cantine du midi – Olive et Gourmando –, mon adresse sur le pouce préférée – les Satay Brothers au marché Atwater –, mon restaurant chic préféré pour un lunch d'affaires – le Bouillon Bilk –, mon bar à crème glacée préféré : Kem CoBa. Sans oublier Havre-aux-Glaces. Et je ne vous parle même pas de la glace aux pistaches de chez Damas, sur l'avenue du Parc. Et ai-je mentionné mes expériences phénoménales à la Cabane à sucre du Pied de cochon et comment j'adore, j'adore prendre un verre de vin au bar du Toqué !, autant qu'un sandwich de la nouvelle cuisine de rue à Montréal, notamment ceux au porc effiloché de Pas d'cochon dans mon salon ?

Ma réponse ne finissait plus. Le chef a changé de sujet.

Si vous voulez que je vous dise spontanément mon coup de cœur 2014, comme je suis dans une phase très légumes – trop mangé de porc effiloché depuis 10 ans –, je suis tombée folle amoureuse du menu de Vin Papillon, le nouveau restaurant de l'équipe du Joe Beef, qui a ouvert à l'été 2013, rue Notre-Dame Ouest. Mais j'ai aussi beaucoup aimé la nouvelle Boucherie Lawrence, qui fait des sandwichs au saucisson formidables dans le Mile-End. Et j'adore, j'adore Kanbai, ce restaurant chinois de la rue Sainte-Catherine Ouest, qui vient d'ouvrir une deuxième succursale rue Clark, dans le vieux quartier chinois, donc près de la salle de rédaction de *La Presse*. Qui veut partager un peu de salade de méduse avec moi ?

Et puis, même si je j'ai pas pu inclure tous les camions dans ce guide, car ils font partie d'un projet pilote pour le moment, ai-je besoin de préciser que j'ai adoré la nouvelle offre de cuisine de rue qui a sillonné celles de l'arrondissement Ville-Marie et ailleurs, durant l'été 2013 ? Les beignets du Pied de cochon, les croissants du Fous Truck...

Donc je n'ai pas de restaurant préféré, mais un million d'opinions et d'idées. Parce qu'un repas, c'est une multitude d'éléments qui se conjuguent pour former une grande expérience qui peut aussi bien avoir lieu dans un troquet de bord de route que dans une table étoilée.

Ce guide est là pour tenter de trouver des réponses à vos désirs changeants. Un soir, une table d'amoureux. Un autre, un lieu familial. J'ai essayé beaucoup de restaurants pour faire cette sélection qui n'est pas exhaustive, malheureusement. J'ai sûrement oublié de bonnes adresses. Je m'en excuse. J'en parlerai l'an prochain.

Comme tous les ans, *Restos Montréal 2014* ne recense pas la totalité des restaurants de Montréal et de sa banlieue. Je ne garde que des recommandations, des lieux retenus parce qu'ils ont un atout bien précis ou parce que ce sont mes coups de cœur de l'année.

Puisque toutes les adresses ont mon feu vert, il n'y a pas d'étoiles. Les établissements sont plutôt présentés en catégories que j'ai peaufinées pour vous aider à vous retrouver parmi mes suggestions.

Les noms des restaurants, les adresses, l'adresse du site Internet s'il y en a un, sont indiqués. Pour les horaires, je prône une approche « premier coup d'œil » : est-ce ouvert pour le lunch, est-ce fermé le lundi ou le dimanche, y a-t-il des brunchs ?... Je ne peux pas préciser les heures d'ouverture des restaurants, car celles-ci changent parfois en cours d'année. Il est d'ailleurs toujours préférable de vérifier si l'établissement est ouvert, surtout le dimanche soir et le lundi, et de réserver si possible.

Côté prix, il est difficile de prédire de quoi aura l'air votre addition puisque cela dépend de ce que vous choisirez et de ce que vous boirez. Une bouteille ou un verre, un dessert, un café ou rien de tout cela ? Donc là encore, je préfère vous offrir une idée générale des prix. Un symbole de dollar ($) signifie qu'il vous en coûtera probablement moins de 25 $ par personne pour un repas moyen, avant taxes et service. Généralement, à ce moment-là, il n'y a pas de vin au menu. Deux symboles de dollar ($$) indiquent que le repas coûtera probablement de 25 $ à 65 $ par personne, là encore avant taxes et service, mais avec un peu de vin cette fois. Trois symboles de dollar ($$$) signifient qu'il faudra dépenser davantage.

Mais ces symboles sont essentiellement des ordres de grandeur. On peut dépenser beaucoup dans un établissement aux prix moyens en commandant plusieurs bouteilles de vin et en multipliant les à-côtés. Tout comme on peut garder raisonnable l'addition dans un restaurant chic en commandant du vin au verre, en buvant l'eau du robinet (choix plus écologique en plus) et en prenant la formule s'il y en a une... On peut aussi partager un seul dessert, éviter le café qui gonfle l'addition... Certaines personnes peuvent sortir d'un restaurant avec une facture trois fois plus élevée que celle de leurs voisins de la table à côté.

Je tiens à préciser que, comme c'est le cas quand j'écris dans *La Presse*, lorsque je vais dans un restaurant pour en faire la critique, je ne m'annonce pas, je réserve sous un autre nom et je paie l'addition.

Sur ce, bonne lecture, bonnes découvertes et, comme toujours, bon appétit !

Marie-Claude Lortie

LES COUPS DE CŒUR DE L'ANNÉE

- Le restaurant le plus charmant : Bouillon Bilk

- Mon nouveau restaurant coup de cœur : Vin Papillon. À cause des légumes. Et encore des légumes.

- Mon autre nouveau restaurant coup de cœur, format miniature celui-ci : La Famille.

- Mon café préféré : Encore et toujours Saint-Henri. Mais j'aime bien aussi Pikolo. Et Névé. Et Myriade.

- Là où l'Italie est le plus dans votre assiette : Impasto. Mais aussi Hostaria, évidemment. Et Scarpetta.

- Meilleure nouvelle chinoise : L'ouverture d'un deuxième Kanbai juste à côté du bureau, dans le quartier chinois. Pour la salade de méduse.

- Meilleur nouveau resto ethnique créatif moderne *cool* : BarBounya.

- Mon refuge classique : La Brasserie T !

- Meilleur lunch sophistiqué : Bouillon Bilk.

- Meilleures côtes levées : Blackstrap BBQ.

- Ma cantine du midi, coup de cœur à vie : Olive et Gourmando.

- Les meilleurs biscuits aux brisures de chocolat : La Bête à pain.

- Les meilleurs sandwichs pour carnivores : Boucherie Lawrence.

- Les gâteaux les plus joliment décorés (et bons) : Yuki.

- Meilleure cuisine de rue : Grumman 78, Camion du Pied de cochon, Fous Truck, Pas d'cochon dans mon salon.

- Nouvelle épicerie préférée : Fou d'ici.

- Meilleur fast-food : Arouch

- Meilleurs gyros : Village Grec.

💜 Meilleurs nouveau resto pour les petits-déjeuners et brunchs : Régine Café.

💜 Meilleurs endroit pour tacos et *ginger ale* maison : Maïs.

💜 Meilleur bar à mozzarella où croiser des *rock stars* : Mangiafoco.

💜 Meilleures glaces italiennes : Chez Vincenzo.

💜 Meilleure glace à la pistache : Damas.

💜 Meilleure glace à l'érable : Havre-aux-Glaces.

💜 Meilleure glace à la bergamote : Kem CoBa.

💜 Meilleur comptoir extérieur : Satay Brothers.

💜 Meilleures salades : Santa Barbara.

💜 Mon bar préféré : *Ex æquo*, le bar du Toqué pour un verre de bourgogne et un plat raffiné. Le Big in Japan pour un Campari tonic ou un whisky, dans une atmosphère surréaliste allumée.

💜 La plus jolie terrasse dans une cour intérieure tout en pierre du Vieux-Montréal : Accords, évidemment.

💜 Le meilleur grec moderne : Tasso bar à mezze.

💜 Le meilleur grec classique : Milos. Surtout le midi quand les prix sont raisonnables.

💜 Le restaurant où l'on aime le plus retourner parce que c'est tellement bon qu'on en oublie le nombre de décibels vraiment un peu fou : Le Filet.

POURQUOI ALLEZ-VOUS AU RESTAURANT ?

POUR UNE GRANDE OCCASION

20

POUR TOUT SIMPLEMENT BIEN MANGER AVEC DES AMIS

26

POUR FAIRE DES DÉCOUVERTES

30

POUR VOIR DU MONDE (ET BIEN MANGER)

34

POUR UN RENDEZ-VOUS GALANT

39

POUR BOIRE DU BON VIN

41

La Chronique

Ce restaurant de l'avenue Laurier a fait peau neuve en 2013 en déménageant en face, dans le local autrefois occupé par le restaurant Anis. Ce changement tout en lumière, en blanc, en espace, lui a fait le plus grand bien, insufflant un air de nouveauté et de fraîcheur à cette table vénérable, classique, dont la réputation n'est plus à faire. Flétan de Gaspésie aux girolles, foie gras de canard confit aux spéculos et à la pêche, scotchs de collectionneurs... Le menu et la carte des vins sont pour les gourmands prêts à manger une cuisine créative riche, savoureuse, qui ne prend aucun raccourci.

Il y a une salle à l'étage pour manger pratiquement en privé, en groupe.

- Pour célébrer une grande occasion dans un des bons restaurants de Montréal.
- Pour une demande en mariage ? Pour renouveler des vœux ?
- Pour une première rencontre amoureuse, si on a plus de 40 ans et un bon budget.

$$$

Ouvert le midi, du lundi au vendredi
Ouvert le soir, tous les jours

104, avenue Laurier Ouest, Montréal
514 271-3095
www.lachronique.qc.ca

Toqué !

Montréal est une ville de restaurants conviviaux. C'est ce qui la fait le plus connaître en ce moment sur la scène internationale. Toutefois, il lui reste ses propres institutions, ses grandes tables locales qui n'ont pas d'étoiles Michelin tout simplement parce qu'il n'y a pas de guide Michelin au Canada, mais qui en mériteraient probablement une, sinon deux. Des restaurants phares qui ne sont peut-être pas aussi éclatés que les grands avant-gardistes espagnols ou scandinaves ni aussi classiques que les grandes tables françaises, mais qui demeurent de solides établissements de haute cuisine très bien faite, avec service professionnel, carte des vins impeccable et atmosphère juste assez feutrée pour qu'on s'entende parler. On parle ici évidemment du Toqué !, dont le chef et copropriétaire Normand Laprise est un peu le père de la gastronomie québécoise contemporaine. Un classique.

Si l'expérience nappe blanche vous étouffe, optez pour le bar où l'on peut faire l'expérience Toqué ! dans un contexte tout à fait *relax*.

- Pour une grande occasion : anniversaire de mariage, demande en mariage.

- Menu du midi à une trentaine de dollars.

- Carte des vins recherchée, avec grands classiques et petits producteurs indépendants.

- Petite terrasse pour les beaux jours.

$$$

Ouvert le midi, du mardi au vendredi
Ouvert le soir, du mardi au samedi
Fermé le dimanche et le lundi

900, place Jean-Paul-Riopelle, Montréal
514 499-2084
www.restaurant-toque.com

Le Club Chasse et Pêche

Homard et flanc de porc, pétoncles et cochonnailles... Le menu est un peu *surf and turf,* et voilà sûrement pourquoi on appelle ce restaurant Club Chasse et Pêche. Pour le reste, c'est aussi parce que le lieu chaleureux, fermé, lui donne l'air de ces anciens clubs luxueux où l'on allait jadis se faire traiter en pacha. Carte des vins allumée, service professionnel, menu toujours original du chef Claude Pelletier, desserts particulièrement soignés de Masami Waki se combinent pour créer une expérience hors pair. Une des belles tables montréalaises qu'on s'offre en cadeau pour les grands moments.

Malheureusement, l'entente entre le restaurant et le Château Ramezay n'a pas été reconduite en 2013, donc on ne peut plus manger la cuisine du club *al fresco*, le midi, l'été, dans les jardins du château. Grosse perte.

- Un restaurant pour célébrer les grandes occasions.
- L'atmosphère est assez animée, le menu moderne, mais le style du lieu convient aux amateurs de restaurants traditionnels.
- On y va pour un tête-à-tête aussi bien que pour une rencontre avec des clients.
- J'aime bien y aller tard, après le repas, pour savourer uniquement un dessert.
- Le lieu est connu pour sa fête de la Saint-Sylvestre.

$$$

Ouvert le soir, du mardi au samedi
Fermé le dimanche et le lundi

423, rue Saint-Claude, Montréal
514 861-1112
www.leclubchasseetpeche.com

Maison Boulud

À la Maison Boulud, la cuisine est généralement impeccable, le décor soigné, le service hyper professionnel. Et comme on est au centre-ville, dans une atmosphère pas trop bruyante qui permet les repas d'affaires, on a toujours l'impression d'être au cœur de l'action, avec toutes sortes de têtes connues qui prennent de grandes décisions à la table d'à côté. On y va pour tous ces éléments qui, combinés, donnent à tout repas un sentiment d'être un peu à New York, où le chef franco-américain Daniel Boulud a ouvert son premier restaurant. Au menu : des classiques de tous les restaurants de Boulud, incluant la soupe glacée de petits pois et le hamburger réinventé avec morbier et rillons.

C'est le chef Riccardo Bertolino qui pilote la cuisine du restaurant, où Daniel Boulud vient faire un tour quand même régulièrement, notamment la fin de semaine du Grand Prix de formule 1 et durant le festival Montréal en lumière.

- Pour un repas de grande occasion, à deux ou en petit groupe.

- Pour un lunch d'affaires où l'on veut bien voir et être vu.

- Pour avoir un peu l'impression d'être à New York.

- Pour un service impeccable.

- Pour prendre un verre de champagne ou un cocktail au bar.

$$$

Ouvert le matin, le midi et le soir, tous les jours
Brunch le dimanche

1228, rue Sherbrooke Ouest, Montréal
514 842-4212
ritzmontreal.com

Milos

Les vedettes américaines de passage aiment bien s'arrêter dans ce restaurant grec culte de l'avenue du Parc. Il faut dire que plusieurs connaissent déjà cette table, qui a fait des petits à New York, Las Vegas et… Athènes. Ici, on mange une cuisine classique grecque : des poissons hyper frais et grillés simplement, des salades, des fritures légères. Pourquoi est-ce donc si spécial ? À cause de la qualité des produits, de la moindre huile d'olive à chaque poisson, incluant plusieurs ingrédients et vins importés directement de Grèce par le propriétaire.

On va chez Milos pour manger du poisson, mais il ne faut pas oublier qu'on y sert aussi le steak des élevages Creekstone, sans hormones ni antibiotiques, et vieilli chez Cava, l'autre restaurant du propriétaire Costas Spiliadis.

- Pour célébrer une grande occasion avec un repas classique de légumes et de poisson. Idéal pour ceux qui aiment manger léger.
- On peut essayer l'expérience Milos le midi ou alors après 22 h, à des prix tout à fait raisonnables.
- Un repas chez Milos en plein hiver donne un peu l'impression qu'on est en été ou en voyage.

Ouvert le midi, du lundi au vendredi
Ouvert le soir, tous les jours

5357, avenue du Parc, Montréal
514 272-3522
www.milos.ca

Laurie Raphaël Montréal

Voilà déjà cinq ans que le restaurant du chef Daniel Vézina, originaire de Québec, compte une succursale à Montréal. Niché à l'hôtel Le Germain, en plein centre-ville, le Laurie Raphaël Montréal est maintenant piloté en cuisine par Hakim Chajar, un des finalistes de la très populaire émission *Les Chefs !*, animée par Vézina. Au menu, on continue de mettre en valeur les produits typiquement québécois — chicoutai, caribou, oursin, boutons d'hémérocalles, érable — dans des plats fins et précis, même si la liste d'ingrédients est parfois longue. Le midi, la table d'hôte secrète, à 33 $ pour 3 services, mérite d'être tentée…

On adore la tempête de neige en porcelaine suspendue, signée par l'artiste céramiste Pascale Girardin.

- Pour un lunch d'affaires.
- Pour un tête-à-tête.
- Pour un repas seul au bar.
- Pour faire goûter la cuisine d'ici à des visiteurs curieux.
- Niveau de bruit très acceptable pour la conversation.

$$$

Ouvert le midi, du lundi au vendredi
Ouvert le soir, tous les jours

2050, rue Mansfield, Montréal
514 985-6072
www.laurieraphael.com

Au Pied de cochon

Chaque visite dans ce restaurant culte est une fête, surtout si on s'assoit au bar pour regarder travailler l'équipe redoutable de durs à cuire dirigée par Emily Homsy. Car c'est bien une femme qui pilote l'équipe aux fourneaux de ce restaurant aux allures pourtant si masculines. Ici, le foie gras est le produit-vedette. On en met partout. Mais il ne faut pas rater non plus les oreilles de Christ, les plateaux de fruits de mer, la pintade, l'os à moelle aux œufs de poisson, un classique revisité, version ogre. Et puis les desserts au sirop d'érable. Il y en a toujours trop. Pas grave. On apporte les restes à la maison et on en met dans la boîte à lunch toute la semaine !

Il y a maintenant un camion de cuisine de rue associé au Pied de cochon, qui propose notamment des beignets, mais aussi la poutine, des sandwiches, etc.

- On peut y manger seul, au bar.
- Excellent pour un groupe de taille moyenne, mais il faut réserver longtemps à l'avance.
- Un classique montréalais.
- Pas idéal pour les végétaliens et les obsédés des calories.
- Très belle carte des vins.
- Niveau de bruit important.

$$$ ♥

Ouvert le soir, du mercredi au dimanche
Fermé le lundi et le mardi

536, avenue Duluth Est, Montréal
514 281-1114
www.restaurantaupieddecochon.ca

Joe Beef

Il y a deux restaurants montréalais dont on entend beaucoup parler par les temps qui courent, lorsqu'on voyage à l'extérieur du pays : Au Pied de cochon et Joe Beef. Pourquoi ? Parce que Joe Beef est un lieu unique que les chefs David McMillan et Frédéric Morin ont décidé de bâtir sans compromis. Huîtres toujours impeccables, viandes et légumes apprêtés richement, avec ce savoir-faire unique qui donne l'impression que tout est simple, facile, alors que les techniques sont ancrées dans des années de travail et des décennies de traditions de cuisine classique. Rien ici n'est improvisé. Pour le vin, on demande conseil directement à la sommelière.

L'été, on s'installe sur la terrasse à l'arrière du restaurant, à côté du potager où pousse une partie des légumes utilisés en cuisine.

- Pour un repas entre amis ou une sortie en couple si on a envie de voir du monde.
- Niveau de bruit assez élevé.
- Il faut absolument réserver bien à l'avance.
- Sans réservation, on peut parfois s'asseoir au bar.
- Pour célébrer une occasion joyeuse.

$$$

Ouvert le soir, du mardi au samedi
Fermé le dimanche et le lundi

2491, rue Notre-Dame Ouest, Montréal
514 935-6504
www.joebeef.ca

La Porte

La Porte est l'un des secrets les mieux gardés de Montréal. Sur le boulevard Saint-Laurent, entre Sherbrooke et Des Pins, où les restaurants de cette qualité sont inexistants, on a tendance à l'oublier. Pourtant, c'est l'une des bonnes tables de Montréal. Tenu par la famille Rouyé, ce restaurant propose de la cuisine française créative, préparée minutieusement. Homard en carpaccio, foie gras mi-cuit avec dattes au cumin... Le menu privilégie les produits régionaux, les réinterprète soigneusement avec une lorgnette à la fois bretonne et québécoise, toujours actuelle. Joli décor de brasserie, avec touche exotique. Charmant.

Le midi, le menu à 25 $ est une véritable aubaine, l'un des bons rapports qualité-prix à Montréal.

- Endroit parfait pour un tête-à-tête.
- Pour un lunch d'affaires ou une rencontre entre copines aussi.
- Les amateurs de bonne cuisine française actuelle apprécieront.
- Très belle carte des vins remplie de crus inattendus.
- Si on est seul, on s'assoit au bar.

$$

Ouvert le midi, du mardi au vendredi
Ouvert le soir, du mardi au samedi
Fermé le dimanche et le lundi
Fermé le mardi, de la mi-juillet à la 2e semaine de septembre

3627, boulevard Saint-Laurent, Montréal
514 282-4996
www.restaurantlaporte.com

Pastaga

Le restaurant du chef Martin Juneau semble toujours rempli, enjoué, comme si tout le monde choisissait d'y célébrer son anniversaire en grand groupe. On y sert la cuisine raffinée, accessible, qui a fait connaître ce jeune chef. Au menu, du cerf de Boileau, des poissons, des plats de légumes travaillés comme un tartare de betteraves ou des endives au bleu, tandis qu'une assiette de foie à la juive fait un clin d'œil à la diversité culturelle de Montréal. Ici, on commande des petits plats, on partage, on articule le repas comme on le souhaite autour de bonnes bouteilles de vin, dont plusieurs naturels.

Le chef Juneau a maintenant une nouvelle adresse. Un pub à la britannique appelé Sir Joseph, sur Saint-Laurent près de Saint-Joseph, là où étaient jadis Projet 67 et Cuisine et Dépendance. Il a aussi un camion de crème glacée : Mr. Crémeux.

- On y va en groupe ou à deux, mais le degré de décibels est un peu élevé pour les tête-à-tête.

- On peut réserver une table en cuisine.

- On peut voir l'équipe aux fourneaux, car la cuisine n'est séparée du restaurant que par un mur vitré.

- Le chef organise des soirées spéciales avec des chefs canadiens réputés, les *Royal Canadian Monday at Pastaga* (RCMP). À suivre sur le site Internet du restaurant.

$$

Ouvert le midi, le vendredi
Ouvert le soir, tous les jours
Brunch le samedi et le dimanche

6389, boulevard Saint-Laurent, Montréal
514 742-6389
www.pastaga.ca

Bouillon Bilk

Souvent, les gens se demandent quel restaurant a bien pu s'installer dans ce tronçon un peu rébarbatif du boulevard Saint-Laurent, quelque part entre le Quartier des spectacles, le Red Light et la rue Sherbrooke. Mais dès qu'on y entre, on est transporté dans un univers moderne, classe, agréable, où la cuisine est créative, précise et présentée de façon recherchée. On aime les plats de poisson, les salades fraîches, les braisés en hiver. On choisit le menu dégustation si on a envie de célébrer un soir, ou alors on y mange légèrement à midi.

Idéal pour un repas avant ou après une pièce de théâtre, ou un concert, puisqu'on est vraiment à deux pas du TNM, de la Place des Arts et de la place des Festivals.

- Menu intéressant le midi.
- On sort en groupe le soir et on demande le menu dégustation.
- Une belle adresse pour célébrer. Juste assez classe, pas du tout coincée.
- On aime que ceux qui ne prennent pas d'alcool soient aussi bien traités avec des boissons recherchées comme le *ginger ale* épicé et la limonade à la coriandre.

Ouvert le midi, du lundi au vendredi
Ouvert le soir, tous les jours

1595, boulevard Saint-Laurent, Montréal
514 845-1595
www.bouillonbilk.com

Van Horne

Lorsque le restaurant a ouvert, en 2011, le chef Eloi Dion a pris les commandes de la minuscule cuisine située au fond du local étroit, mais il a quitté le restaurant en 2013 pour le plaisir de l'enseignement et des horaires réguliers. Il a été remplacé par un autre jeune chef d'origine ontarienne, John Winter Russell, qui a fait ses classes notamment à La Salle à manger et chez Pastaga. Russell propose au Van Horne une cuisine qui a comme première et immense qualité de ne pas vouloir être pareille à celle qu'on trouve partout ailleurs. Et qui s'aventure en terrains nouveaux. Omble légèrement fumé, sur crème fraîche et riz sauvage grillé. Agneau effiloché à l'argousier, têtes de violon et topinambours glacés. Doré de lac aux concombres grillés… On sent nettement les influences scandinaves et on ne vous a même pas encore parlé des desserts aux légumes ! Certains plats sont plus réussis que d'autres, mais on ne s'ennuie pas. Et le lieu est toujours aussi joli.

Mis à part la carte des vins montée très soigneusement, c'est le décor très galerie d'art et le niveau de bruit, alléluia, très acceptable – assez bas pour pouvoir mener une conversation sans hurler – qui nous attirent au Van Horne.

- Pour une cuisine différente aux influences scandinaves.
- Pour un repas avec une amie qui aime l'art contemporain.
- On peut manger au bar.

$$$

Ouvert le soir, du mardi au samedi
Fermé le dimanche et le lundi

1268, avenue Van Horne, Montréal
514 508-0826
vanhornerestaurant.com

Sinclair

Avec son menu fixe à 25 $ le midi et à 40 $ le soir, le Sinclair fait partie de ces restaurants raffinés où l'on peut aller manger un repas créatif de grande qualité sans se ruiner. C'est Stelio Perombelon qui pilote les cuisines de l'établissement situé à l'hôtel Saint-Sulpice, dans le Vieux-Montréal, et qui crée des combinaisons audacieuses de saveurs et de textures. Au menu, crème de courge musquée, mousse de lard fumé. Pintade rôtie, topinambours et chanterelles. Flanc de porcelet de lait confit... Les assiettes sont travaillées avec minutie, jamais surchargées, toujours avec un petit ingrédient surprenant qui décoiffe et permet au plat de se distinguer des expériences précédentes.

L'été, la terrasse aménagée dans la cour intérieure de cet immeuble ancestrale est très agréable pour un diner *al fresco*.

- Pour un bon repas dans le Vieux-Montréal, avec des touristes.
- Pour un lunch d'affaires.
- Pour amateurs de cuisine créative.
- Joli travail sur les légumes.
- Beaucoup de plats légers, mais savoureux.

Ouvert le midi et le soir, tous les jours

125, rue Saint-Paul Ouest, Montréal
514 284-3332
www.restaurantsinclair.com

Les 400 Coups

Cuisine fine, carte des vins impeccable, desserts originaux. Les 400 Coups n'est pas un restaurant hyper chic ni hyper cher, mais l'expérience est toujours unique et sans faille. À la fin de l'été 2013, on a appris que l'équipe qui pilotait le restaurant depuis le début quittait Les 400 Coups pour d'autres projets. Des jeunes qui ont fait leurs classes avec les chefs Marc-André Jetté et Patrice Demers ont pris la relève. On espère donc continuité et assiduité, et, comme avant, assiettes soignées et atmosphère à la fois accessible et professionnelle.

On peut manger aux 400 Coups le midi, mais seulement le vendredi.

- Pour un repas en tête-à-tête ou en petit groupe.
- On peut manger seul, au bar.
- Une cuisine souvent légère, aux saveurs précises.
- Pour un choix de vins original.

$$$

Ouvert le midi, le vendredi
Ouvert le soir, du mardi au samedi
Fermé le dimanche et le lundi

400, rue Notre-Dame Est, Montréal
514 985-0400
www.les400coups.ca

Le Filet

Toujours plein, toujours bruyant, Le Filet est l'un de ces restaurants où l'on sort. On va prendre un verre, on va manger. On va voir du monde. Qu'on soit au bar ou dans la salle, l'action ne manque pas. Et la décoration donne au lieu des airs de boîte de nuit, avec niveau de décibels assorti. En prime, c'est délicieux. Les plats de cardeau cru avec concombre, wasabi et prune japonaise ou alors de pétoncles avec avocat, orange et betterave sont devenus des classiques. On aime aussi la carte des vins.

Si vous êtes avec des gens qui ont envie de voir des personnalités du show-business, du monde des affaires ou des médias, voilà une adresse à essayer.

• Pour sortir avec les copains.

• On peut y aller en groupe, mais il faut être prêt à parler fort.

• On peut y aller à deux ou seul et s'asseoir au bar.

• Idéal après un spectacle.

• Il y a une petite terrasse.

$$$ ♥

Ouvert le soir, du mardi au samedi
Fermé le dimanche et lundi

219, avenue du Mont-Royal Ouest, Montréal
514 360-6060
www.lefilet.ca

Hôtel Herman

Cet endroit s'appelle « hôtel », mais ce n'en est pas un. C'est un joli restaurant moderne avec beaucoup de bois et de murs de briques, où l'on va prendre un verre en mangeant une bouchée, assis au bar ou à l'une des tables de côté. Au menu, de petites assiettes qu'on enchaîne comme on veut pour articuler un repas sur mesure : œuf de cane au plat, tartare de cheval, pommes de terre, œufs de poisson et os à la mœlle... La carte des vins est soignée, remplie de trouvailles de petits producteurs indépendants, à prix corrects. Joli choix de crus au verre.

Le restaurant a fêté son premier anniversaire à l'été 2013. On lui souhaite longue vie. En attendant, on n'oublie pas de réserver, car cet établissement fait partie des adresses du Mile-End qui marchent.

• On y va pour un repas avec un groupe d'amis.

• Si on est seul ou à deux, on s'assoit au bar.

• Bon rapport qualité-prix.

• Bruyant.

• Il y a une platine vieille école dans l'entrée. Musique en conséquence.

$$

Ouvert le soir, du mercredi au lundi
Fermé le mardi

5171, boulevard Saint-Laurent, Montréal
514 278-7000
www.hotelherman.com

Bar & Bœuf

Sans tambour ni trompette, et malgré un décor néobaroque qui a été à la mode il y a quelques années et qui lui donne un air un cheveu dépassé, ce restaurant s'impose comme l'une des vraies bonnes tables de Montréal. Les assiettes sont de celles qui font vraiment preuve de créativité, avec acrobaties justifiées. On n'essaie pas de reproduire les prouesses à la mode du moment. Le chef Simon Mathys montre qu'il est plutôt là pour les faire avancer. Kampachi cru — poisson du Pacifique, d'élevage durable, souvent offert comme solution de rechange aux thons surpêchés ou mal pêchés — garni de pousses d'oseille sanguine, « saucisse » de crevettes nordiques avec une crème montée au citron, et poudre de poireaux séchés, morue à la mousse de foie de volaille. C'est original, savoureux, jamais exagérément lourd. Un secret bien gardé.

La table d'hôte à 19 $ ou à 23 $ le midi est l'un des bons rapports qualité-prix en ville, notamment dans le Vieux-Montréal.

- Une bonne table pour un lunch d'affaires.
- Pour un repas en tête-à-tête le soir et pour voir du monde.
- Pour un repas entre copines.
- Destination intéressante pour les visiteurs qui ont envie de sortir dans le quartier historique de Montréal, et bien manger.
- Carte des vins fort soignée.

$$$

Ouvert le midi, du mardi au vendredi
Ouvert le soir, du mardi au samedi
Fermé le dimanche et le lundi

500, rue McGill, Montréal
514 866-3555
www.baretboeuf.com

Hostaria

Installé là où était jadis Il Mulino, Hostaria est l'une des très bonnes tables italiennes de Montréal. Mais attention : l'atmosphère n'a plus rien à voir avec les établissements traditionnels aux lourdes draperies. Ici, c'est moderne, convivial, voire un peu bruyant. Avec une cuisine chaleureuse, assez classique avec ses pâtes aux garnitures simples, ses légumes frais, la mozzarella di buffala, ses braisés. Mais tout est toujours savoureux. Même la salade verte est spectaculaire, parce que la vinaigrette est impeccable, et les laitues, parfaitement croquantes. Hostaria est aussi l'un de ces endroits où l'on va en groupe et où l'on finit par parler à tout le monde. Très sympa.

Voilà le genre de restaurant italien où l'on mange des pâtes enrobées de sauces ayant mijoté des heures, remplies des saveurs réconfortantes des viandes et des légumes qu'on aime le plus.

- Pour un repas en petit groupe.
- Pour manger seul au bar en parlant à l'adorable proprio, Aline Carmeline Russo, qui est souvent là pour le service.
- On y va à deux et on s'assoit au bar ou dans la salle. Mais difficile de se susurrer des mots doux à l'oreille.
- Carte des vins recherchée, incluant de beaux choix au verre.

$$$ ♥

Ouvert le midi, le jeudi et le vendredi
Ouvert le soir, du mercredi au samedi
Fermé, le dimanche, le lundi et le mardi

236, rue Saint-Zotique Est, Montréal
514 273-5776
www.hostaria.ca

Nora Gray

Ici, on vient d'abord et avant tout parce que c'est chaleureux, sympathique, invitant. C'est bruyant, mais toujours rempli de gens intéressants. On va au Nora Gray pour le plaisir d'être non seulement dans un lieu, mais aussi avec ceux qui en sont l'âme. De style années 60 revisité, avec des murs recouverts de panneaux de bois, ce restaurant propose la cuisine d'inspiration italienne d'Emma Cardarelli, une ancienne du Liverpool House, tout comme le gérant, Ryan Gray. Lapin aux olives, cochon de lait, ravioles aux ris de veau... Le menu veut en plus sortir des clichés. Une adresse qui met de bonne humeur.

Idéal avant ou après une soirée au Centre Bell.

- Pour manger au bar, seul ou à deux.

- Pour un repas en groupe, mais, attention, c'est bruyant.

- Si on a le cafard, on va se remonter le moral dans ce lieu où tout le monde finit par parler à tout le monde, joyeusement. Très sympathique.

- On aime les œuvres d'art au mur en particulier, et la déco en général.

Ouvert le soir, du mardi au samedi
Fermé le dimanche et le lundi

1391, rue Saint-Jacques Ouest, Montréal
514 419-6672
www.noragray.com

Lawrence

Le Lawrence est une adresse de quartier avec un décor à l'éclairage romantique, où il est agréable d'aller à deux pour se regarder dans les yeux, mais où il y a aussi de la vie, voire un bon nombre de décibels. En arrivant, si on doit attendre sa table — car le lieu est très fréquenté —, on s'enfonce dans un canapé vieillot en buvant un premier verre de vin choisi par l'excellente sommelière Etheliya Hananova. Pour le repas, on se laisse porter par les suggestions du jour, en commençant par des huîtres (abordables). Au menu, une cuisine de gastro-pub moderne : pied de porc et œuf poché, cervelle de veau, calmars et salicornes… Pas toujours léger. Toujours savoureux.

On adore le brunch du Lawrence, le week-end. Beignes au chocolat, scones à la crème épaisse et confiture. Juste assez *british*.

- Pour un lunch d'affaires moderne.
- Pour un repas en petit groupe ou en tête-à-tête.
- On peut connaître le menu du jour sur Twitter à @lawrencefood.
- On peut y rencontrer toutes sortes de gens du quartier, allant des jeunes familles avec bébé en Canada Goose aux membres d'Arcade Fire.

$$

Ouvert le midi, du mercredi au vendredi
Ouvert le soir, du mercredi au samedi
Brunch le samedi et le dimanche
Fermé le lundi et le mardi

5201, boulevard Saint-Laurent, Montréal
514 503-1070
www.lawrencerestaurant.com

Laloux

Laloux n'est pas l'une des adresses à la mode de Montréal, mais l'une de ses valeurs les plus sûres. On aime entre autres le décor hyper classe et classique d'inspiration brasserie parisienne, signé feu Luc Laporte. Ici, on mange bien et on est bien servi, notamment grâce aux bons offices du maître d'hôtel Francis Archambault. Aux fourneaux, le chef Jonathan Lapierre-Réhayem propose une cuisine moderne fidèle à l'esprit bistro. Risotto aux petits pois frais, boudin noir et tatin, ris de veau amandine… Et depuis que le chef Patrice Demers est passé par là, la qualité des desserts n'a jamais diminué.

Il y a une petite terrasse devant le restaurant, pour les beaux jours.

- Pour un tête-à-tête classique. Niveau de bruit correct.
- Bonne adresse aussi pour un souper entre filles ou entre amis en général.
- Laloux est ouvert le midi toute la semaine : idéal pour un lunch d'affaires. Ou un lunch romantique.
- Carte des vins montée avec sérieux.

$$$

Ouvert le midi, du lundi au vendredi
Ouvert le soir, tous les jours

250, avenue des Pins Est, Montréal
514 287-9127
www.laloux.com

Vin Papillon

Le nouvel établissement de l'équipe derrière Joe Beef et Liverpool House se veut un bar à vins où l'on court essayer de nouveaux crus de petits producteurs indépendants. Mais ce qui est surtout intéressant, à vrai dire, c'est le menu composé en grande partie de plats de légumes. Rémoulade de chou-rave, poireau grillé, chou-fleur à la rôtissoire… Les assiettes sont travaillées, savoureuses, et nous surprennent. Ce n'est pas de la cuisine végétarienne, puisqu'il y a ici un peu de jambon et là un bout de chorizo. Mais c'est frais, croquant, craquant. Gros coup de cœur.

Les légumes utilisés proviennent de producteurs locaux, mais aussi du jardin personnel du chef David McMillan et du petit potager situé à l'arrière du Joe Beef.

• Pour un repas entre amis.

• Le restaurant ne prend pas les réservations.

• Jolie terrasse à l'arrière.

• Pour rencontrer des gens puisqu'il y a des tables de réfectoire dans le jardin.

 $$

Ouvert le soir, du mardi au samedi

2519, rue Notre-Dame Ouest, Montréal
vinpapillon.com

Accords

On vient dans ce restaurant du Vieux-Montréal d'abord et avant tout pour sa cave remplie de crus intéressants, qu'ils soient abordables ou recherchés, souvent biodynamiques, souvent d'importation privée. Plus de 50 vins sont en outre servis au verre. Ça vous donne une idée du lieu. Pour faire des accords avec tout ça — ou des désaccords —, il y a la cuisine de Marc-André Lavergne. Travers de porc laqués au miel d'argousier, feuilleté de homard, escabèche de maquereau. Moderne, recherchée. Le lieu, un bâtiment ancestral, se prête bien aux agapes. On aime. Surtout la terrasse toute fraîche, encaissée dans les murs de pierres.

Le menu est rempli de jeux de mots rigolos — maquereau biotique, homard de rire — qui nous rappellent qu'un des propriétaires est l'animateur-comédien-humoriste Guy A. Lepage.

- Jolie ambiance pour un repas en tête-à-tête.

- Pour la terrasse charmante et fraîche. On emmène un client ou une nouvelle flamme.

- Lunch tous les jours en semaine.

- On y va pour le vin, d'abord et avant tout. Carte spectaculaire.

Ouvert le midi, du lundi au vendredi
Ouvert le soir, tous les jours
Brunch le samedi et le dimanche

212, rue Notre-Dame Ouest, Montréal
514 282-2020
www.accords.ca

Pullman

Les modes passent, mais le Pullman reste, avec ses bons crus, ses bons sommeliers, son aménagement spectaculaire – en commençant par l'impressionnant lustre en verres de vin dans l'entrée – et sa bonne cuisine. Ici, on ne s'installe pas pour un repas copieux traditionnel, mais plutôt pour toutes sortes de petits plats, façon tapas. Miniburgers, haricots verts travaillés, arancini. Tout est classique. Savoureux.

Le Pullman est ouvert tard. On peut donc aller y prendre une bouchée après un spectacle, surtout qu'il n'est pas loin de la Place des Arts et de la place des Festivals.

- Pour boire de très bons vins.

- Pour croiser une faune intéressante, autant en début de soirée que tard, après la fermeture des restaurants et des théâtres.

- Si vous avez plus de 40 ans et cherchez un lieu de 5 à 7 *cool* et intelligent.

- Pour se retrouver en groupe et moduler la commande au gré de l'appétit de chacun.

$$ ou $$$

Ouvert le soir, tous les jours

3424, avenue du Parc, Montréal
514 288-7779
www.pullman-mtl.com

Pop!

Le menu de ce restaurant-lounge connexe au Laloux n'est pas particulièrement scandinave, mais le décor, lui, l'est totalement. Tout l'aménagement de ce lieu est en effet conçu à partir de meubles et d'objets en teck issus directement des années 50 et 60 ainsi que des grandes créations des designers danois ou suédois de l'époque. On se croirait dans un film de James Bond ou d'Ingmar Bergman. Au menu, on fait les choses simplement, mais avec élégance : tartes flambées, pâtes, amuse-gueules sous forme de salades de fenouil ou d'arancini. Un bel endroit pour prendre un verre de vin et une bouchée.

On offre maintenant un menu gourmand à 32 $ par personne, 4 services.

- Pour un souper avec des copains qui adorent les décors scandinaves et le bon vin, et pas nécessairement dans cet ordre.

- Pour aller prendre un verre et une bouchée en tête-à-tête, pour la première fois ou la deuxième.

- Pour se plonger dans une atmosphère très années 60.

Ouvert le soir, tous les jours

250, avenue des Pins Est, Montréal
514 287-1648
www.popbaravin.com

Buvette chez Simone

Tous les quartiers devraient avoir un lieu comme cette buvette. Un bar à bons vins joliment décoré – style postindustriel *cool* – où l'on peut manger de délicieuses charcuteries et de savoureux plats cuisinés, où l'on peut aller boire un verre après le travail, croiser des amis, traîner, passer en coup de vent, prendre une bouchée, souper. On y va avec les copains, on emmène les enfants durant la journée le week-end, on rencontre des collègues le soir après le travail. On y débarque avec un gang de filles, de gars. Le lieu est populaire et polyvalent.

Le chef Éric Bélanger et l'importateur de vins Michel Bergeron, qui ont lancé la buvette, ont aussi ouvert Furco au centre-ville, un autre lieu toujours plein.

- Pour prendre un verre et une bouchée avec des amis.

- Pour montrer à des visiteurs où sortent les vrais Montréalais, hors des zones touristiques.

- Pour un bon verre de vin.

- Pour sortir en gang, entre copains ou copines.

- Trop bruyant pour un tête-à-tête intime.

$ ou $$

Ouvert le soir, tous les jours

4869, avenue du Parc, Montréal
514 750-6577
www.buvettechezsimone.com

AVEC QUI ALLEZ-VOUS MANGER ?

POUR UN BON REPAS D'AFFAIRES

48

POUR UN LUNCH ENTRE AMIS OU COLLÈGUES

54

POUR BIEN RECEVOIR DES VISITEURS ÉTRANGERS

56

POUR UN SOUPER DE FILLES ALLUMÉ

63

POUR UN SOUPER DE GARS SYMPA

68

POUR FAIRE PLAISIR À TOUT LE MONDE

73

POUR SORTIR DES LIEUX COMMUNS EN FAMILLE

78

Le Contemporain

L'atmosphère est légèrement austère dans ce restaurant installé à la mezzanine du Musée d'art contemporain. C'est donc un endroit parfait pour un lunch d'affaires où l'on a besoin de s'entendre parler et de ne pas être dérangé. La cuisine du chef Antonin Mousseau-Rivard, petit-fils de Jean-Paul Mousseau, un des signataires du *Refus global*, est minutieuse, remplie des saveurs fraîches du marché, jamais banale. On est dans un univers soigné, qui met en vedette, avec élégance, les produits du Québec, dans un esprit gastronomique plus que rustique. Un secret bien gardé.

Le restaurant offre le service traiteur dans toutes les salles du musée qu'on peut louer.

- Pour un lunch d'affaires en toute tranquillité.
- Pour un tête-à-tête discret.
- Avant ou après un spectacle.
- Lieu calme et serein pour amateur d'art contemporain.

$$$

Ouvert le midi, du mardi au vendredi
Ouvert le soir, du jeudi au samedi
Fermé le dimanche et le lundi

185, rue Sainte-Catherine Ouest, Montréal
514 847-6900
www.macm.org

Ferreira Café

Au centre-ville, le Ferreira Café propose une cuisine portugaise de grande qualité, classique, bien faite, savoureuse à souhait. Au menu : beaucoup de poissons, apprêtés avec du chorizo, de la coriandre, des coques, et tous les produits traditionnels du pays d'origine du fondateur, Carlos Ferreira. La carte des vins aussi est remplie de crus ibériques, qu'importe spécialement le restaurateur. Ici, beaucoup de gens d'affaires ont pratiquement leur table réservée. C'est bruyant. Mais jamais banal.

Le Ferreira Café a accueilli un nouveau chef en 2013, Joao Hipolito, un Portugais fraîchement arrivé à Montréal, qui pilote maintenant l'équipe. Le menu de l'établissement demeure toutefois le même, et le chef Marino Tavares reste dans le groupe.

- Idéal pour un lunch d'affaires, en compagnie du Tout-Montréal.

- Bruyant, mais le propriétaire en est conscient et promettait en 2013 de faire quelques rénovations pour réduire le nombre de décibels.

- Un des meilleurs restaurants de poisson en ville.

- On n'oublie pas de réserver.

$$$

Ouvert le midi, du lundi au vendredi
Ouvert le soir, tous les jours

1446, rue Peel, Montréal
514 848-0988
www.ferreiracafe.com

Graziella

Ici, on mange une cuisine italienne sobre, élégante, toujours remplie de saveurs grâce aux talents incontestés d'une des meilleures chefs en ville, Graziella Battista. Calmar grillé, farci de poisson, anchois et pecorino, terrine de lapin aux épinards, ravioli aux jarrets de porcelet… Oui, c'est aussi bon que cela le semble sur papier. Car ici, on est vraiment en Italie, ou du moins chez quelqu'un qui a appris à l'italienne à rechercher la profondeur des saveurs. Le restaurant est installé dans un ancien bureau d'architectes, avec tout ce que cela évoque de modernisme minimaliste, de hauts plafonds et de murs dégagés pour accueillir d'immenses œuvres d'art.

Graziella compte quelques salles de réunion au sous-sol, avec toutes sortes d'équipements appropriés – Internet haute vitesse, appareils audiovisuels, etc. On peut y accueillir jusqu'à 80 personnes.

- Pour un lunch d'affaires savoureux, chic, sobre.
- Pour un souper en tête-à-tête ou à quatre.
- On peut manger seul au bar.
- Une des bonnes tables italiennes chics de Montréal.

$$$

Ouvert le midi, du mardi au vendredi
Ouvert le soir, du mardi au samedi
Fermé le dimanche et le lundi

116, rue McGill, Montréal
514 876-0116
www.restaurantgraziella.ca

Renoir

Le restaurant de l'hôtel Sofitel, au centre-ville, est un grand classique quand vient le temps d'organiser des petits-déjeuners d'affaires. La salle est vaste, lumineuse. Tout le monde qui compte s'y retrouve. Et le menu est varié, incluant plusieurs plats allégés : fruits, œufs, yaourts maigres le matin, et salades et poissons le reste de la journée. On n'est pas dans un temple de la créativité débridée, mais on adore comment le chef d'origine bourguignonne Olivier Perret s'assure que même les plats dits minceur sont toujours savoureux.

Une terrasse minimale longe la salle à manger et permet de manger *al fresco* au retour des beaux jours. Le chef fait aussi pousser ses herbes à l'extérieur.

- Pour un bon petit-déjeuner copieux ou allégé, toujours savoureux.

- Un incontournable pour les petits-déjeuners et les lunchs d'affaires.

- On mange sur la terrasse, peut-être après une séance de shopping au centre-ville ?

- On peut laisser sa voiture au valet de l'hôtel.

$$

Ouvert le matin et le midi, du lundi au vendredi
Ouvert le soir, tous les jours
Brunch le samedi et le dimanche

1155, rue Sherbrooke Ouest, Montréal
514 788-3038
www.restaurant-renoir.com

Brasserie T !

La petite sœur du Toqué !, installée au cœur du Quartier des spectacles, collée sur le Musée d'art contemporain, est l'un des restaurants très populaires le midi au centre-ville. On y mange une cuisine de brasserie préparée impeccablement. Boudin, saucisses, impressionnants plateaux de fruits de mer en saison, saumon à l'aneth. Les classiques se suivent, mais ne ressemblent jamais complètement à tout ce qui se fait ailleurs, car, ici comme au Toqué !, on ne travaille qu'avec des produits de première qualité et on refuse de tomber dans la facilité. Seul bémol : le café industriel. Pourquoi ?

La terrasse donne directement sur la place des Festivals. L'été, on est au cœur de l'action.

- Pour un repas avant ou après un spectacle à la Place des Arts, ou pendant les festivals en été. On est au cœur du Quartier des spectacles.

- Pour un lunch ou un souper d'affaires, ou avec des amis, dans une atmosphère bien vivante. Bruit considérable.

- Pour connaître la cuisine de Normand Laprise et de Charles-Antoine Crête sans payer le prix du Toqué !

- Pour un bon repas un dimanche ou un lundi soir.

Ouvert le midi et le soir, tous les jours

1425, rue Jeanne-Mance, Montréal
514 282-0808
www.brasserie-t.com

Europea

Europea est le restaurant phare de l'ensemble des établissements détenus et pilotés par le chef Jérôme Ferrer. Ici, on est traité aux petits oignons, c'est la marque de commerce du lieu. Amuse-bouches surprises, petites attentions ici et là durant le repas. On a constamment l'impression d'être une *VIP*. Et c'est fort agréable. Au menu, une cuisine branchée sur la France, mais aussi de multiples clins d'œil aux plats-signatures des grandes tables du moment partout dans le monde. Cloches de fumée pour les viandes, espumas, potages cappuccinos, brouillades en coquille... Effet garanti.

Le chef Ferrer compte plusieurs autres restaurants, notamment le Birks Café, Andiamo et le Café Grévin du nouveau musée de cire.

- Pour un lunch d'affaires.

- Le restaurant est sur plusieurs étages et compte de nombreuses salles isolées pour des réunions de groupe.

- Pour un repas du soir en tête-à-tête ou en petit groupe.

- Le midi, il y a plusieurs options table d'hôte à moins de 30 $.

$$$

Ouvert le midi, du mardi au vendredi
Ouvert le soir, tous les jours

1227, rue de la Montagne, Montréal
514 397-9161
www.europea.ca

Kazu

On ne se lasse pas de ce troquet japonais où l'on s'entasse après avoir attendu en file, rue Sainte-Catherine. Quand on y entre, on a l'impression d'avoir gagné à la loterie tellement le nombre de tables est petit. Tellement c'est sympathique. Au menu : des plats de viandes braisées, de légumes. Du riz. Du poisson cru. Tout est inscrit sur des bouts de papier collés au mur, comme dans les brasseries japonaises, les *isakayas* dont la signature est ce cri de bienvenue dès que le moins convive y met les pieds. On craque pour le porc cuit 48 heures, les crêpes de crevettes et, bien sûr, pour les généreux bols de ramen servis le midi. Et pour la glace au saké, évidemment.

Si on est seul, on s'assoit au bar. Si on est plus de quatre, on sépare le groupe. C'est vraiment petit ici. Mais très sympathique.

- Comme dans une brasserie, on vient prendre une bière ou du saké, et manger.

- On est très loin du comptoir à sushis propret dans ce lieu exigu toujours bondé.

- Pour un lunch rapide au centre-ville.

- Pour avoir l'impression d'être au Japon.

- Pour parler japonais !

 $

Ouvert le midi, du dimanche au vendredi
Ouvert le soir, du mercredi au lundi
Fermé le mardi

1862, rue Sainte-Catherine Ouest, Montréal
514 937-2333
kazumontreal.com

Café Holt

Le café situé dans le grand magasin très chic Holt Renfrew est beaucoup plus qu'un comptoir où s'arrêter prendre un Coke Diète ou du champagne après avoir acheté ou rêvé d'acheter des chaussures Prada ou une robe Stella McCartney. C'est un vrai restaurant en bonne et due forme, et on y mange très bien. On aime le décor moderne très *glam*, on aime les salades (saumon-quinoa-haricots-maïs-avocat), on aime les tartines (crabe-bacon-laitue-tomate), on aime le service sympathique et professionnel, et le bruit raisonnable. On y retourne.

Le restaurant offre aussi des cocktails originaux, incluant un kir québécois avec crème de cassis de l'île d'Orléans, qu'on peut boire au joli bar tout blanc.

- Pour un lunch d'affaires léger au centre-ville, dans un univers lumineux, moderne, aéré, différent des adresses classiques très masculines du quartier.
- Pour une pause chic, mais *relax*, au milieu d'une journée de shopping au centre-ville.
- Pour un lunch avec des copines.
- Pour un lunch avec une mère, belle-mère ou grand-mère, qui aime les restaurants où l'on a l'impression d'être dans un grand magasin chic à New York ou Los Angeles.

$$

Ouvert selon l'horaire du magasin

1300, rue Sherbrooke Ouest, Montréal
514 282-3750
www.holtrenfrew.com

Maison Publique

Le travail du chef, Derek Dammann, m'a toujours intéressée. Pas seulement à cause de sa fascination pour les abats et la cuisine anglo-saxonne peu servie ici. Mais surtout pour son parti pris canadien. Sa carte des vins, uniquement canadiens, fait une belle place à ceux de l'Ontario et de la Colombie-Britannique, et même du Québec. Et sa vision de ce qui est « local » englobe la Saskatchewan. Voilà de quoi se démarquer. Et même si nul autre que le célèbre chef britannique Jamie Oliver a donné son appui financier au projet, les aventures culinaires de Dammann sont bien ancrées ici. Dernière nouveauté : on sert des poissons de prises secondaires, provenant de la Gaspésie et de la Côte-Nord. Tout cela se passe en plein cœur du Plateau, angle Gilford et Marquette, dans un lieu rénové afin de ressembler à s'y méprendre à un pub à l'anglaise.

On ne peut pas réserver dans ce restaurant. Donc on n'arrive pas trop tard. Notamment pour le *Sunday roast*, comme en Grande-Bretagne.

• Pour un repas en groupe.

• Pour un tête-à-tête ou pour manger seul au bar.

• Pour de la cuisine canadienne d'inspiration britannique.

• Pour la carte des vins uniquement canadiens.

$$$

Ouvert le soir, du mercredi au dimanche
Brunch le samedi et le dimanche
Fermé le lundi et le mardi

4720, rue Marquette, Montréal
514 507-0555

Olive et Gourmando

Mis à part ceux qui rouspètent contre les prix, et encore, je ne connais personne qui ne soit pas follement amoureux de ce troquet du Vieux-Montréal. D'ailleurs, il est toujours plein à craquer et ravit tout autant visiteurs et locaux. Les sandwichs sont succulents, recherchés, complexes, constants. Les viennoiseries sont impeccables, savoureuses, originales. Le vin au verre est bon. Le café aussi. Les limonades valent le détour. Et les soupes et salades, qui changent chaque jour, ne ratent jamais leur objectif : nous combler et nous régaler. Oh, et tout le monde est *cool* dans cet endroit.

Mon sandwich préféré, année après année : poulet, mangue et avocat, sur ciabatta maison. Plusieurs ont essayé de le copier. Impossible à battre. À ne pas manquer non plus : les scones gingembre et cerises.

- Pas de meilleur petit-déjeuner dans le Vieux-Montréal.

- Parfait pour le lunch.

- Pour y aller avec les enfants, on choisit les (rares) heures creuses.

- Si le café est trop plein, on prend son repas et on va le manger dans un parc ou au bureau.

- Excellent pour observer les vedettes de passage à Montréal, qui adoptent souvent les lieux.

Ouvert le matin et le midi, du mardi au samedi
Fermé le dimanche et le lundi

351, rue Saint-Paul Ouest, Montréal
514 350-1083
www.oliveetgourmando.com

Schwartz's

Installé au cœur de l'ancien quartier commerçant juif montréalais, Schwartz's n'a pas pris une ride depuis son ouverture en 1928. Il est le seul restaurant montréalais qui soit une attraction touristique, car le décor et l'expérience semblent figés dans le temps. On y déguste LE sandwich montréalais par excellence : le smoked meat (*medium* pour qu'il soit bien juteux), qui se mange accompagné de frites et de cornichons. Pas de dessert. Pas de bière. Peut-être un Cherry Coke. Il y a souvent une file d'attente devant le restaurant. Ne vous en faites pas. Ça avance vite.

On peut commander pour emporter – ça se fait très rapidement et on coupe ainsi la queue – et aller savourer le tout au parc Jeanne-Mance non loin.

- Une bonne adresse typique et colorée pour les visiteurs étrangers.
- Pour un bon sandwich le midi, pas compliqué.
- Roulement rapide.
- Pour prendre une bouchée avant ou après une partie de hockey ou de football.
- On peut aisément manger seul au comptoir.

Ouvert le matin, le midi et le soir, tous les jours

3895, boulevard Saint-Laurent, Montréal
514 842-4813
www.schwartzsdeli.com

Les Îles en ville

Saviez-vous que Verdun est le quartier montréalais où se retrouvent les Madelinots habitant la métropole ? C'est donc là, dans la rue Wellington, qu'est installé ce restaurant rendant hommage aux Îles-de-la-Madeleine, absolument unique à Montréal. Au menu : du homard, évidemment, pour commencer, mais aussi des plats typiques comme le pot-en-pot aux poissons et fruits de mer. La cuisine, honnête, n'est pas grandiose. Mais ce qu'on découvre surtout ici, c'est l'accueil chaleureux et la gentillesse légendaires des insulaires. Difficile de trouver mieux si on veut montrer le Québec à des amis visiteurs.

Le week-end, des musiciens et des chanteurs font danser la salle.

- Pour un repas inusité.

- Une jolie terrasse décorée avec des objets typiques des Îles permet de manger à la belle étoile et d'avoir l'impression qu'on est au bord de la mer, alors qu'on est en plein Verdun.

- Pour manger du homard en saison.

- Pour faire voir aux visiteurs à quoi ressemble l'atmosphère des fêtes de famille québécoises à l'ancienne.

 $

Ouvert le midi, du mardi au vendredi
Ouvert le soir, du mardi au dimanche
Fermé le lundi

5335, rue Wellington, Montréal (Verdun)
514 544-0854
www.lesilesenville.com

Bistro Cocagne

Le Bistro Cocagne est installé là où était Toqué ! dans une autre vie. C'est le bistro qui a gardé de ce restaurant phare le goût de travailler uniquement avec des produits frais d'ici. Quand la saison des récoltes commence, le menu explose. Quand les tomates ou les pommes arrivent, par exemple, le chef les met sur un piédestal. Salade de tomates cerises et concombres, chèvre frais, vinaigrette aux herbes et framboises. Saumon fumé maison avec salade de pommes vertes et huile de ciboulette… Pour profiter de cette cuisine du marché fraîche et bien charpentée, on peut prendre le menu dégustation. Ou alors on choisit à la carte. Si on est fauché, on réserve après 21 h 30, et le menu est à 20 $.

Il y a une salle un peu isolée au fond du restaurant, où l'on peut se retrouver en groupe pour un repas d'affaires ou une fête privée.

- Pour un tête-à-tête ou un repas en petit groupe, de type souper de filles ou *double date*.
- Pour faire connaître les produits québécois à des visiteurs étrangers ou même à des Québécois !
- Le restaurant est parfois ouvert pour le brunch, par exemple à Pâques ou à la fête des Mères.
- Comme c'est un secret bien gardé, on y trouve souvent aisément de la place, alors que d'autres établissements comparables, moins bons, sont déjà pleins.

$$

Ouvert le soir, du mercredi au dimanche
Fermé le lundi et le mardi

3842, rue Saint-Denis, Montréal
514 286-0700
www.bistro-cocagne.com

Cabane à sucre du Pied de cochon

On adore la Cabane. La Cabane à sucre au printemps. La Cabane aux pommes à l'automne. Martin Picard, le chef derrière l'immense succès du Pied de cochon, y crée une cuisine très québécoise hautement inspirée, toujours savoureuse, spectaculaire, remplie d'humour et destinée massivement à procurer du bonheur à ceux qui la mangent. Comme c'est souvent le cas avec Picard, le foie y trouve sa place, mais aussi le homard, la pintade, le canard, l'esturgeon fumé. Le menu cabane à sucre est rempli de références traditionnelles. Le menu pommes tient à faire honneur aux récoltes des potagers et des vergers.

Dans les deux cas, il faut réserver longuement à l'avance pour avoir une table. Hors saison, on peut seulement y aller si on réserve les lieux au complet pour un événement spécial. Il y a aussi possibilité, quand le restaurant est ouvert, de réserver la table en cuisine si on paie un supplément.

- Destination idéale pour les touristes.
- Pour un repas de cabane à sucre en famille ou avec des amis.
- On peut y aller à deux ou même seul, en s'assoyant au bar.
- Plus cher que les cabanes traditionnelles, mais, côté qualité, on est dans une autre ligue.
- On peut acheter des produits pour emporter.

$$

Ouvert le soir, du jeudi au dimanche, en saison
Ouvert le midi, le samedi et le dimanche, en saison

---

11 382, rang de la Fresnière, Saint-Benoît-de-Mirabel
450 258-1732
www.cabaneasucreaupieddecochon.com

L'auberge Saint-Gabriel

Difficile de ne pas être impressionné par ce lieu ancestral réaménagé par Bruno Braën, où pierres anciennes et sculptures modernes – une colonne vertébrale de baleine, un orignal recomposé – se côtoient pour créer une atmosphère chaleureuse, remplie d'humour, vaguement truculente. Au menu, il y a la cuisine du chef d'origine française Éric Gonzales, qui s'est adaptée pour convenir en ces lieux à la fois rustiques, élégants et solidement québécois : crabe avec pêche, tomate verte et concombre, foie gras au torchon avec fraises et rhubarbe, mais aussi carré d'agneau, plateau de charcuteries et même mégachateaubriand à manger à deux.

Nouveau créneau à l'auberge : les mariages. Au coin du feu en hiver, accueil dans la cour au printemps. Photos nombreuses sur le site Internet.

- Pour faire voir un restaurant à l'atmosphère presque Nouvelle-France à des visiteurs.

- On peut y aller en groupe, il y a de la place.

- Il y a une boîte de nuit au sous-sol et un bar au rez-de-chaussée.

- On peut autant prendre un repas gastronomique dans la salle à manger que simplement des charcuteries et des verres de vin dans le hall.

$$$

Ouvert le midi, du mardi au vendredi
Ouvert le soir, du mardi au samedi
Fermé le dimanche et le lundi

426, rue Saint Gabriel, Montréal
514 878-3561
www.lesaint-gabriel.com

Furco

Le Furco est un restaurant qui a l'air d'un bar. Ou un bar qui a un peu l'air d'un restaurant, installé dans un magnifique lieu postindustriel aux très hauts plafonds… Ouvert par les mêmes propriétaires que la Buvette chez Simone, il fait un tabac depuis qu'il est entré en scène au centre-ville. On y mange une cuisine très conviviale, à partager, parfois un peu maladroite. Gravlax de truite, *fish and chips*, carpaccio de bœuf… On aime la carte des vins abordables, sans lieux communs.

Il y a pratiquement toujours une file d'attente devant le Furco. Si vous voulez une place assise, arrivez tôt !

- Pour sortir en gang.
- Pour se faire de nouveaux amis.
- Installé près du Quartier des spectacles.
- Prix abordables.

Ouvert le soir, tous les jours

425, rue Mayor, Montréal
514 764-3588
www.barfurco.com

Helena

Helena, c'est le nom de la chef d'origine portugaise, Helena Loureiro, qui tient ce restaurant du Vieux-Montréal. Helena, c'est surtout celle qu'on a appris à connaître au Portus Calle, son premier restaurant du boulevard Saint-Laurent. Sa cuisine est hautement ensoleillée, comme son pays natal. Les saveurs sont celles de la péninsule ibérique. Poissons, tomates, chorizo, coriandre. On aime les hauts plafonds de cet établissement, la déco plus élégante, la cuisine plus minimaliste qu'à son premier restaurant. On essaie les calmars farcis, les huîtres avec espuma au citron.

Le genre d'endroit où l'on va pour préparer un voyage au Portugal ou pour se rappeler de bons souvenirs d'un voyage au Portugal.

• Pour un repas de filles qui aiment le poisson et la cuisine vitaminée.

• Atmosphère animée, pour ne pas dire un peu bruyante.

• Pour ceux qui adorent le Portugal.

$$

Ouvert le midi, du lundi au vendredi
Ouvert le soir, du lundi au samedi
Fermé le dimanche

438, rue McGill, Montréal
514 878-1555
www.restauranthelena.com

F Bar

Ce petit frère du café Ferreira, haut lieu de réseautage d'affaires, est situé dans le Quartier des spectacles, à deux pas du Musée d'art contemporain. On y mange une cuisine d'inspiration portugaise, très axée sur le poisson, mais rajeunie, énergisée, incluant plusieurs plats originaux présentés dans des cocottes. À ne pas manquer, la morue, évidemment, servie en cuisson lente, à l'étouffée, pour rester particulièrement moelleuse. Carte des vins remplie d'importations privées, dont plusieurs portugaises. On y va le midi ou le soir, avec des collègues ou des clients qui apprécient le style Ferreira.

La terrasse donne directement sur la place des Festivals.

- Parfait pour un souper ou un lunch de filles, ou pour un lunch d'affaires.

- Pour manger *al fresco* quand les beaux jours reviennent.

- Cuisine portugaise moderne : on est loin des clichés de sardines trop grillées, trop simples.

- Pour un repas avant ou après un spectacle.

$$

Ouvert le midi, du lundi au vendredi
Ouvert le soir, tous les jours

1485, rue Jeanne-Mance, Montréal
514 289-4558
www.fbar.ca

Kitchenette

Situé tout juste en face de Radio-Canada, au sud du Village, dans un coin de René-Lévesque un peu isolé, ce petit restaurant s'est fait un nom grâce au travail du chef Nick Hodge, qui s'est imposé avec un style américain moderne, allumé, souvent tex-mex : *brisket*, *shorts ribs*, etc. Mais aussi pizza grillée au homard, calmars et aïoli au citron, etc. À la fin de l'été 2013, le restaurant a été vendu à un chef français qui doit garder le menu original pendant un certain temps. Mais le restaurant est appelé à changer. On espère qu'il gardera les desserts adorables comme le sundae au *sticky toffee pudding* et aux Cracker Jack.

Le chef Hodge a vendu Kitchenette, mais il reste propriétaire de Icehouse.

- Arrêt obligé pour un lunch dans ce quartier.
- Pour un repas pas banal avec des copines.
- Pour un souper en amoureux.
- Si on a envie de manger du poisson servi de façon originale.

$$ ou $$$

Ouvert le midi, du mardi au vendredi
Ouvert le soir, du mardi au samedi
Fermé le dimanche et le lundi

1353, boulevard René- Lévesque Est, Montréal
514 527-1016
www.kitchenetterestaurant.ca

Portus Calle

Lorsqu'elle a commencé dans la restauration, après avoir travaillé notamment comme chef en garderie, Helena Loureiro s'est donné comme mission de dépoussiérer la cuisine portugaise. Et c'est ce qu'elle fait dans son restaurant, à sa façon, en servant fruits de mer et produits traditionnels dans des plats modernes, souvent frais. On aime l'omniprésence des tomates, de la coriandre, du poulpe, des olives… Un endroit sympathique où aller en groupe. On commande des tapas. On partage. On module comme on veut.

Une adresse sympathique, ensoleillée, pour secouer la déprime posthivernale d'un mardi soir gris d'avril, qui n'en finit plus d'être pluvieux.

• Pour un repas dépaysant.

• On y va avec des amis. Bruit considérable.

• Pour une deuxième ou une troisième soirée en tête-à-tête : celle où l'on aime encore qu'il y ait une ambiance animée dans le resto, mais où l'on commence à partager les plats…

$$

Ouvert le midi, du lundi au vendredi
Ouvert le soir, du lundi au samedi
Fermé le dimanche

4281, boulevard Saint-Laurent, Montréal
514 849-2070
www.portuscalle.ca

Sir Joseph

Le nouvel établissement du chef Martin Juneau de Pastaga est un hommage aux pubs britanniques. *Bangers and mash on a stick* – saucisse et purée de pommes de terre en croquettes –, *fish and chips*, purée de petits pois… Les meilleurs clichés rencontrent les nouveaux classiques, comme cet artichaut tout simple avec vinaigrette moutarde. La dernière fois que j'en ai mangé un de la sorte, c'était au restaurant culte St. John Bread and Wine dans l'est de Londres… Ici, on vient pour le 5 à 7 et boire, notamment, de la bière en fût. Carte de petits plats qu'on multiplie et partage.

Ce pub est installé là où était avant Projet 67, mais surtout Cuisine et Dépendance. La nouvelle décoration lui donne un air de pub anglais allégé.

- Parfait pour un 5 à 7 qui s'éternise.
- Les amateurs de bière seront heureux de la vaste sélection.
- Un menu à la britannique qui se démarque.
- Pour sortir avec les copains.
- Pour une bouchée avant ou après le théâtre (c'est à côté de l'Espace Go et pas très loin du Rideau Vert).

Ouvert le soir, du mardi au samedi
Fermé le dimanche et le lundi

4902, boulevard Saint-Laurent, Montréal
514 564-7477
www.pubsirjoseph.com

Grinder

Je ne peux pas dire que je suis amoureuse folle de la cuisine de ce restaurant, mais force est de constater que l'ambiance est du tonnerre. En été, on s'installe sur la terrasse avec les copains avant d'aller voir un spectacle produit par Osheaga au bord du canal Lachine. L'hiver, on choisit une table un peu surélevée et on regarde ce qui se passe en sirotant un verre de rouge ou un spritzer, devant un tartare, une salade ou un gros steak, c'est selon. C'est toujours plein, alors on n'oublie pas de réserver.

Le Grinder est piloté par la même équipe que Le Hachoir dans la rue Saint-Denis, sur le Plateau.

- Pour un souper de gars (ou de filles qui aiment le steak).

- Pour voir du monde.

- Nombre élevé de décibels.

- Décor *flyé*, éclairé par les lampes de bloc opératoire.

$$

Ouvert le midi, du lundi au vendredi
Ouvert le soir, du lundi au samedi
Fermé le dimanche

1708, rue Notre-Dame Ouest, Montréal
514 439-1130
www.restaurantgrinder.ca

Big in Japan

Quand on parle du Big in Japan, ces jours-ci, on pense surtout au bar super populaire, sur Saint-Laurent, tout juste au sud de Rachel, mais le Big in Japan est au départ un restaurant installé plus au sud sur Saint-Laurent, en bas de l'avenue des Pins. Là, sur des banquettes défoncées, des tables attachées au sol comme chez McDo et une atmosphère généralement décalée, on mange dans un univers de type *isakaya*, soit une brasserie à la japonaise. Au menu : nouilles, braisés, poissons, sandwichs… La cuisine pourrait être plus précise, mais les portions sont copieuses, rassasiantes. On peut aussi commander pour emporter.

Pour trouver le restaurant Big in Japan, c'est facile. Pour trouver la porte du bar, c'est plus compliqué. Il n'y a pas d'enseigne. Et la porte n'a pas l'air de celle d'une boîte de nuit. Mais c'est bien au 4175, boulevard Saint-Laurent, et c'est très sympa.

- Pour un repas très informel qui donne l'impression d'être ailleurs qu'à Montréal.

- Pour manger une cuisine asiatique accessible.

- Une des adresses sympathiques dans cette section du boulevard Saint-Laurent, qui en compte malheureusement de moins en moins.

Ouvert le midi, du lundi au vendredi
Ouvert le soir, tous les jours

3723, boulevard Saint-Laurent, Montréal
514 847-2222
www.biginjapan.ca

Bar
4175, boulevard Saint-Laurent, Montréal
438 380-5658

Icehouse

Le lieu est exigu, plutôt rustique. On y a vraiment l'impression de manger au bord de la route, au Texas, surtout que tout est servi sans couverts ni assiette, dans des paniers protégés par du papier à carreaux rouge et blanc, comme dans les cantines américaines… Peu importe. Ce troquet où le menu est écrit à l'ardoise se remplit en un clin d'œil pour le 5 à 7 et les belles soirées, l'été, sur la terrasse. Au menu : des tacos revisités à la façon du chef Nick Hodge, du pop-corn de crevettes, des burritos de homard, des sandwichs po-boy à la louisianaise aux huîtres frites… Savoureux et hyper convivial.

Ce restaurant minuscule est très populaire pour les 5 à 7, où l'on sert notamment de la limonade au bourbon ou de la bière Creemore.

- Pour un 5 à 7 de filles.

- On y retrouve des amis.

- Pour un repas de papas avec enfants (pas trop jeunes, quand même). Les tacos, une valeur sûre.

- Attendez-vous à patienter un moment pour avoir une place.

- Terrasse en été.

$$

Ouvert le soir, du mardi au dimanche
Fermé le lundi

51, rue Roy Est, Montréal
514 439-6691

Liverpool House

Le Liverpool House, le petit frère du Joe Beef dont il est presque le voisin sur Notre-Dame Ouest, près du marché Atwater, est un restaurant où il est agréable d'aller en groupe. Le bruit y est trop important pour un tête-à-tête d'amoureux. Et le service et l'atmosphère, sans parler du décor, très *relax*, très convivial, joliment rétro, de type *club house*, n'ont rien de formel. Donc on y va entre amis, on choisit peut-être une table avec des banquettes, on commande des huîtres et une bonne bouteille de blanc, et on lance la soirée. Au menu, la cuisine du marché, où l'on utilise certains des légumes poussant dans le jardin derrière Joe Beef. Savoureux.

Souvent, les choses simples ont l'air faciles. Souvent, ce n'est pas le cas. Le Liverpool House est l'une de ces rares adresses où l'on peut manger de bonnes huîtres, présentées professionnellement.

- Ambiance rétro, mais animée.
- Conseillé aux amateurs de bonne cuisine du marché, mais déconseillé aux pointilleux côté service.
- À deux pas du marché Atwater.

$$

Ouvert le soir, du mardi au samedi
Fermé le dimanche et le lundi

2501, rue Notre-Dame Ouest, Montréal
514 313-6049
www.joebeef.ca

Impasto

Si vous cherchez un restaurant qui devra faire l'unanimité au sein d'un groupe éclectique, mais qui est aussi nouveau et plein de surprises, je lance cette idée : allez chez Impasto, que vient d'ouvrir Stefano Faita dans la Petite-Italie. Stefano, on le connaît par la télé, par ses livres de cuisine, par sa mère Elena, la propriétaire de la quincaillerie Dante, dont le chef Martin Picard dit qu'elle a été l'un de ses plus grands professeurs de cuisine. Bonne carte de visite pour fiston, qui a appris à la même école ! Chez Impasto, le décor est celui d'un bistro italien urbain qui traverse les âges. Au menu : de la cuisine italienne classique, mais recherchée, où entre les pâtes et les boulettes apparaissent des plats comme des crevettes de Matane entières et crues ou de la burrata... Un gros coup de cœur.

Le chef est Michele Forgione, qu'on a connu au Venti dans le Vieux-Montréal.

- On y va en famille.
- On y va seul et on s'assoit au bar.
- On y va en groupe d'amis.
- Bon nombre de décibels.
- Atmosphère très sympathique, conviviale.

$$

Ouvert le midi, le jeudi et le vendredi
Ouvert le soir, du mardi au samedi
Fermé le dimanche et le lundi

48, rue Dante, Montréal
514 508-6508
www.impastomtl.ca

Inferno

Tout près d'Impasto, sur l'autre coin de rue, il y a Inferno, un restaurant italien classique qui fait très bien les choses. On s'assoit à l'extérieur, on commande des entrées pour les partager et en faire presque un repas : artichauts, carpaccio, fleurs de courgette farcies, cailles grillées... Le menu change toutes les semaines, selon les saisons et les arrivages du marché qui est, il faut le dire, situé à quelques pas de là.

Le propriétaire est un bon ami du champion de plongeon et maintenant animateur de télé Alexandre Despatie, qu'on peut croiser régulièrement en salle.

- Pour un souper de filles.
- Pour de la cuisine italienne classique qui plaît à tout le monde.
- Pour un souper de gars aussi !
- Si Impasto est plein, ceci est un plan B plus qu'honorable, et en plus il y a une terrasse.

Ouvert le soir, du mardi au samedi
Fermé le dimanche et le lundi

6850, rue Saint-Dominique, Montréal
514 274-0666
www.restaurantinferno.com

Leméac

Voilà plus de 12 ans que Leméac s'impose sur Laurier comme le restaurant où tout le monde peut se retrouver devant une cuisine de brasserie simple, bien faite, fiable. Le lieu est toujours rempli de gens du quartier, toutes générations confondues. Le midi, on y voit des dames aux colliers de perles. À partir de 22 h, le menu à 27 $ attire les jeunes. Le week-end, les brunchs réunissent les familles. On y va pour les classiques : tartare et pommes allumettes, boudin et sauce au cidre, carré d'agneau et gratin savoyard… La cave est aussi remplie de bouteilles bien choisies par des sommeliers sérieux. Un restaurant de quartier supérieur. Grande terrasse chauffée et abritée.

Restaurant idéal pour un repas avec les petits-enfants, les grands-parents. Tout le monde s'y sent le bienvenu et trouve sur le menu des plats qui lui conviennent.

• Brunch le week-end, très couru à Pâques, la fête des Mères, etc.

• Si on est seul, on peut manger au bar.

• Cuisine française classique qui plaît à tous, donc idéale pour un repas avec des gens qu'on connaît peu, pour un premier rendez-vous galant, un dîner d'affaires…

• Pour manger après un spectacle.

$$

Ouvert le midi et le soir, tous les jours
Brunch le samedi et le dimanche

1045, avenue Laurier Ouest, Montréal
514 270-0999
www.restaurantlemeac.com

La Salle à manger

Généreuse, bruyante, vivante, sympathique, La Salle à manger est l'un des meilleurs, sinon LE meilleur restaurant de la très à la mode avenue du Mont-Royal, au cœur du Plateau. On y mange une cuisine québécoise accessible, bien faite, avec des produits régionaux de grande qualité. Flétan de Gaspésie, porc braisé, tacos revisités… Il est facile ici de se laisser emporter et de trop commander, car les plats à partager sont immenses. On aime le travail sur les légumes ainsi que la carte des vins.

La Salle à manger a un petit frère, le traiteur Pas d'cochon dans mon salon, piloté aussi par le chef Samuel Pinard, ainsi qu'un excellent camion de cuisine de rue, que l'on croise dans Ville-Marie, au festival Osheaga, au Stade...

- On y va en gang.
- Atmosphère vivante, bon nombre de décibels.
- Si on est seul, on mange au comptoir.
- Restaurant de quartier comme on aimerait tous en avoir un, à deux pas de chez soi, pour devenir un habitué.

$$ ou $$$

Ouvert le soir, tous les jours

1302, avenue du Mont-Royal Est, Montréal
514 522-0777
www.lasalleamanger.ca

L'Express

L'Express est une institution montréalaise. Il ne change pas. Même le téléphone a gardé une sonnerie rétro ! Sans parler de sa grande cave et de ses plats français traditionnels. Peu importe l'heure et le jour de la semaine, on peut toujours y trouver les mêmes assiettes qu'il y a 20 ans : foie de veau, canard confit, rillettes, onglet au beurre et à l'échalote… sans parler de l'os à moelle, un classique. L'accueil est toujours aussi sec, à moins d'être un habitué. Et des habitués, il y en a, notamment des personnalités du monde des communications, de la publicité, des médias. Indémodable.

Un des endroits où l'on peut aller manger seul, au comptoir, sans problème. Des tas de gens le font. Pour plusieurs, L'Express est une cantine.

- Cuisine de brasserie française constante, sans hauts, sans bas.

- Assez bruyant.

- On y va avec des visiteurs qui tiennent à manger de la cuisine très française.

- Un bon endroit pour voir du monde, connu ou inconnu, car il y en a tout le temps dans ce lieu animé, ouvert tard.

$$

Ouvert le matin, le midi et le soir, tous les jours

3927, rue Saint-Denis, Montréal
514 845-5333
www.restaurantlexpress.ca

Le Gros Jambon

Le Gros Jambon, avec ses allures de *diner* rétro, ressemble à un *greasy spoon* québécois traditionnel réinventé et amélioré. On y sert hamburgers, hot dogs, poutines… Mais le classique sandwich bacon-laitue-tomate se pare de canard, le *mac and cheese* se décline en quatre fromages, et le *grilled-cheese* peut être enrichi de homard ! Ce n'est pas un restaurant aux plats allégés. Mais on y propose quelques salades et de bons sandwichs. Et, surtout, ne partez pas sans jeter un coup d'œil au comptoir des desserts. Il y a parfois de très bons petits gâteaux façon Jos. Louis, faits maison.

La semaine, Le Gros Jambon n'est pas ouvert pour le petit-déjeuner, mais le week-end, on y offre le brunch.

• Pour un lunch rapide.

• Pour des touristes qui veulent manger un lunch de fast-food artisanal très traditionnel.

• Pour amuser les enfants qui aimeront tout du menu.

• Plaira aux amateurs de tout ce qui est rétro.

Ouvert le midi et le soir, du lundi au samedi
Brunch le samedi et le dimanche

286, rue Notre-Dame Ouest, Montréal
514 508-3872
www.legrosjambon.com

Le Nouveau Palais

Le Nouveau Palais est situé dans un ancien *greasy spoon* typique, à peine rénové – il pourrait même l'être un peu plus. Malgré ses banquettes défoncées et les tableaux accrochés à des hauteurs qui semblent trahir le trou à cacher, on continue d'y aller, car ce lieu est résolument *cool*. Le service est sympathique, l'atmosphère *relax*. Et le menu a l'air sorti directement de nos cuisines familiales d'antan : poulet chasseur, burgers, soupe aux légumes, biscuits aux brisures de chocolat servis avec un verre de lait. Et pour accompagner le tout, une carte des vins remplie de bons crus pas chers. Tout le monde en voudrait un dans son quartier.

Au menu, aussi, à partir de 20 h ou 22 h du mercredi au samedi, des DJ ainsi que pendant le brunch le week-end.

- Pour un repas familial simple, sans chichi, on arrive avant les DJ.

- Pour prendre une bouchée en fin de soirée.

- On évite d'y emmener sa belle-mère super snob qui n'appréciera pas la déco, mais les amateurs de Tom Waits ou de Wes Anderson apprécieront sûrement.

Ouvert le midi, du mercredi au dimanche
Ouvert le soir, du mardi au samedi
Brunch le samedi et le dimanche

281, rue Bernard Ouest, Montréal
514 273-1180
www.nouveaupalais.com

Pizzeria Magpie

La première chose qu'on remarque chez Magpie, c'est le grand four à bois pour la pizza au fond du restaurant. C'est le cœur de l'action. Car on vient ici pour la pizza. Il y a d'autres petits plats — huîtres, charcuteries, boulettes, salades —, mais c'est la pizza qui nous ramène sur les lieux. Toujours préparée avec simplicité, toujours humblement bonne. Les produits utilisés sont de première qualité : mozzarella fraîche et tendre, grosses feuilles de basilic, tomates San Marzano. Le tout dans une atmosphère *hipster* typique du quartier. On regarde l'ardoise pour des plats de la semaine.

La déco des lieux est totalement *shabby* chic, comme dans bien des restaurants du Mile-End qui ont l'air de sortir d'une autre époque même s'ils sont relativement nouveaux.

- Pour une bonne pizza cuite au four à bois.

- Pour un resto antiprétention dans un quartier bien vivant.

- Pour une sortie en famille pas compliquée.

Ouvert le midi, du mercredi au vendredi
Ouvert le soir, du mardi au dimanche
Fermé le lundi

16, rue Maguire, Montréal
514 507-2900
www.pizzeriamagpie.com

Bottega

La Bottega est probablement mon restaurant préféré de Laval, car la pizza cuite au four à bois est vraiment proche de celle qu'on mange dans le sud de l'Italie. Tout est dans le croquant extérieur et le moelleux intérieur de la pâte. Bien sûr, on n'est pas devant la baie de Naples, mais plutôt au croisement de l'autoroute 15 et du boulevard Saint-Martin (ce qui donne au lieu un vague air de Los Angeles). Pour l'expérience vraiment italienne, on choisit des garnitures simples : tomates, mozzarella, olives, anchois… Ou alors on fait une folie : on s'offre la pizza avec des tranches de truffes noires.

La Bottega compte aussi une succursale à Montréal, l'originale en fait, rue Saint-Zotique.

- Pour une sortie en famille avec les enfants, les grands-parents, les cousins, les voisins…

- On n'oublie pas de réserver.

- Pour une sortie pas compliquée du mardi soir.

- Pour se rappeler un voyage en Italie ou s'y préparer.

$$

Ouvert le soir, du mardi au dimanche
Fermé le lundi

2059, boulevard Saint Martin Ouest, Laval
450 688-1100

65, rue Saint-Zotique Est, Montréal
514 277-8104

www.bottega.ca

Prato Pizzeria

Encore une pizzeria où il est agréable d'aller en famille. Ici, la cuisine est sans chichi, et les pizzas sortent du four à bois un peu asymétriques. Et le décor n'est pas particulièrement charmant. Qu'importe. Les pizzas sont bien faites, avec de bons produits. Et la pizza est tellement meilleure que celle des grandes chaînes industrielles où tout est trop gras, trop salé. Comme toujours, on choisit les pizzas avec les garnitures les plus classiques si on veut se la jouer vraiment à l'italienne, comme mozzarella, basilic, tomates. Tout simplement.

La dernière fois que nous y sommes allés avec des enfants, ils ont longuement joué au *baby-foot* situé au fond du restaurant.

- Pour un bon repas en famille.
- Pour un repas en groupe. Il y a de la place !
- Pour un lunch pas compliqué dans le quartier.
- Si la file d'attente est trop longue chez Schwartz's juste à côté.

Ouvert le midi et le soir, du lundi au samedi
Fermé le dimanche

3891, boulevard Saint-Laurent, Montréal
514 285-1616

Solémer

Les restaurants libanais ont pour la plupart beaucoup de talent pour recevoir les familles. L'accueil y est chaleureux, la cuisine plaît à tous. Il suffit d'aller chez Solémer – autrefois appelé La Sirène de la mer – un dimanche, pour comprendre ce dont je parle : le lieu est rempli de familles qui s'y rassemblent, de l'arrière-grand-père au plus petit des bébés. On va dans ce restaurant sympathique pour célébrer de grandes occasions ou tout simplement pour partager le repas. La cuisine libanaise classique y est savoureuse et constante. Fatouche, taboulé, baba ghannouj... en passant par toutes sortes de poissons, crustacés et coquillages. Bon nombre de décibels, incroyable patience des serveurs, atmosphère franchement conviviale.

Ce restaurant de la rue Sauvé, coin l'Acadie, s'appelait autrefois La Sirène de la mer. Maintenant, il s'appelle Solémer. La Sirène de la mer est un autre restaurant, avenue Dresden, à Mont-Royal.

- Les jeunes enfants y sont accueillis avec le sourire.
- On peut y aller en groupe nombreux, il y a de la place, mais vaut mieux réserver.
- Le service demeure efficace même avec de grandes tablées.
- Pour manger du poisson frais, simplement mais finement préparé.

$$

Ouvert le midi et le soir, tous les jours

1805, rue Sauvé Ouest, Montréal
514 332-2255
www.solemer.ca

Ezo

Installé sur le boulevard L'Acadie, juste devant le Marché Central, ce restaurant peut aisément être oublié quand on fait la liste des bonnes tables libanaises de Montréal. On doit s'y rendre en voiture. Il n'y a pas de terrasse. La déco n'a rien de spécial. Pourtant, on y mange une cuisine particulièrement soignée, et l'accueil est absolument charmant. Voilà pourquoi on y retourne. Le menu est classique et comprend tous les plats qu'on aime, du baba ghannouj aux poissons grillés. Si on ne sait pas quoi choisir, on commande un plateau de mezze avec un peu de toutes les entrées. Ou des grillades mixtes.

C'est Élizabeth Daou, de la famille Daou bien connue des amateurs de bons restaurants libanais de Montréal, qui est aux fourneaux.

- Pour un lunch ensoleillé (même s'il pleut), après une escapade au centre commercial.

- Pour un repas en famille. Comme dans tous les bons restaurants libanais, les enfants sont accueillis avec un grand sourire.

- Parfait lorsqu'on est une grande tablée.

- Un des restaurants libanais de Montréal, avec accueil hyper chaleureux.

$ ou $$

Ouvert le midi et le soir, du mardi au dimanche
Fermé le lundi

9440, boulevard de l'Acadie, Montréal
514 385-6777
www.restaurantezo.com

QUEL PRIX
VOULEZ-VOUS PAYER ?

UN BON REPAS À BON PRIX

86

APPORTER SON VIN...

90

MES COUPS DE CŒUR PAS CHERS DU TOUT

94

Le Labo culinaire

Comme son nom l'indique, Le Labo culinaire est un restaurant où l'on fait des expériences. Le menu change constamment. On choisit des thèmes : hiver en France, sud de l'Italie, etc. On combine les plats avec de bons crus pas trop chers. On accueille des chefs en visite, des producteurs de vin de passage à Montréal. Seth Gabrielse et Michelle Marek font tout dans la cuisine ouverte, même le service. L'été, on s'assoit sur la magnifique terrasse et on regarde les projections sur l'immeuble en face.

La Société des arts technologique est un lieu magnifique, et l'escalier pour se rendre au Food Lab, percé de petites lumières, est particulièrement impressionnant.

- Pour une bouchée avant ou après un spectacle. On est à la frontière sud-est du Quartier des spectacles. Le Monument-National est juste en face.

- Pour prendre un verre et une bouchée.

- Fréquenté par une foule très créative, très journalistique, très musicale, très *foodie*.

$ ou $$

Ouvert le soir, du mardi au vendredi

Société des arts technologiques
1201, boulevard Saint-Laurent, Montréal
514 844-2033
www.sat.qc.ca

Le Comptoir charcuteries et vins

Jolie carte des vins. Menu abordable. Atmosphère très vivante. Le Comptoir charcuteries et vins fait partie de ces restaurants où il est facile de s'arrêter, pour prendre un verre et une bouchée, pour s'asseoir au bar, pour rencontrer des amis. Il y a toujours de l'ambiance, de bons plats à prix raisonnables. Betteraves rôties, maquereau fumé, paleron de bœuf… Ici, même les ingrédients modestes sont préparés avec respect et panache.

Même le soir, le plat principal le plus cher est 19 $.

- Pour une jolie carte des vins abordable.
- On y va en petit groupe (ce n'est pas immense) ou à deux.
- On peut manger seul au bar.
- On peut prendre un verre de vin et manger simplement une bouchée, notamment des charcuteries ou du fromage.
- Un des très bons rapports qualité-prix en ville.

$ ou $$

Ouvert le midi, du mardi au vendredi
Ouvert le soir, tous les jours
Brunch le dimanche

4807, boulevard Saint-Laurent, Montréal
514 844-8467
www.comptoircharcuterieesetvins.ca

Au Cinquième Péché

Maintenant installé dans un joli lieu tout en murs de pierres, avec une petite terrasse abritée en façade, dans la rue Saint-Denis, le restaurant des frères Benjamin et Benoit Lenglet, originaires du nord de la France, propose une cuisine française accessible, travaillée avec un regard moderne et branchée sur les saisons et les produits régionaux. Leur dada : la viande de loup marin, produit controversé, mais fort savoureux. Ils en font notamment des phoquonailles. Le menu est écrit à l'ardoise, prêt à changer tous les jours. Mousse de chèvre, fraises et prosciutto, ris de veau épeautre, abricots et noisettes… Les plats ne sont pas banals, mais ne font pas d'acrobaties inutiles non plus. On aime.

Il y a beaucoup de terrasses devant les restaurants de la rue Saint-Denis. Celle-ci est à la fois jolie et intéressante.

- Pour un bon repas à prix raisonnable.
- Pour un lunch d'affaires entre épicuriens modernes.
- Bonne petite carte des vins.
- Pour manger du loup marin, une des rares adresses à Montréal qui en sert.

Ouvert le soir, du mardi au samedi
Fermé le dimanche et le lundi

4475, rue Saint-Denis, Montréal
514 286-0123
www.aucinquiemepeche.com

La Fabrique

Rue Saint-Denis, La Fabrique est une adresse à la fois chaleureuse, créative, sympathique… On aime y aller le soir. On aime y aller le matin, les week-ends. L'atmosphère est celle d'une brasserie, avec un bon nombre de décibels et une cuisine au centre, où l'on voit le chef travailler et produire des assiettes amusantes à un rythme fou. Parfois, la liste des ingrédients au menu est un peu longue. Épaule de porc en cuisson lente, calmar frit, seigle, céleri-rave, purée d'artichaut, salade de daïkon… Croustillant de pied de porc, estragon et moutarde à l'ancienne, salade d'endives et de pommes… Mais, dans la bouche, les saveurs se combinent et nous ravissent.

Sur le menu, on indique quels plats contiennent des noix. Petite attention sympathique pour les gens allergiques.

- Restaurant qui plaît facilement. On y va pour un tête-à-tête informel ou avec les copines.

- Pour des soupers de gars ou de filles.

- Il y a maintenant une annexe de La Fabrique, deux portes au nord, pour l'apéritif ou les cocktails. Décor très moderne.

- Plusieurs plats, comme les grosses carafes de potage, peuvent aisément être partagés, notamment au brunch.

$$

Ouvert le soir, du mardi au dimanche
Brunch le samedi et le dimanche
Fermé le lundi

3609, rue Saint-Denis, Montréal
514 544-5038
www.bistrotlafabrique.com

Tandem

Maintenant qu'on peut rapporter une bouteille non terminée à la maison, maintenant que bien des restaurants offrent une excellente sélection de vins au verre, il y a moins de raisons de chercher les restaurants « apportez votre vin ». Mais si vous en cherchez un, il y a dans Villeray une adresse sans prétention, dotée d'un menu de bistro européen bien sympathique. Raviolis au chèvre et bacon de sanglier, médaillon de lotte aux lardons fumés et coulis de tomates jaunes, moules au chorizo... On peut appeler au restaurant pour se faire recommander un vin qui ira avec le repas, avant de passer à la Société des alcools.

Le restaurant offre maintenant des menus dégustation de cinq à sept services.

- Un des bons « apportez votre vin » de la métropole, qui en compte peu.
- Un restaurant de quartier sympathique dans un coin de Montréal en pleine transformation.
- Ambiance tranquille pour repas à deux, calme et posé.

Ouvert le soir, du mardi au samedi
Fermé le dimanche et le lundi

586, rue Villeray, Montréal
514 277-3339

Quartier général

Il faut absolument réserver dans ce restaurant « apportez votre vin » du Plateau, qui est fort populaire. Ici, le menu est simple : canard de Carignan, lapin de Stanstead, lotte du Massachusetts... On adapte ensuite selon le marché. La cuisine est parfois un peu inégale, mais on sort rarement déçu du repas au complet. Pour une quarantaine de dollars, on a la table d'hôte quatre services — potage, entrée, plat, dessert —, qu'on n'oublie pas d'accompagner d'une bouteille à la hauteur.

Pourquoi ne pas appeler avant pour connaître le menu et choisir les vins en conséquence ?

- Pour une sortie avec des amis.

- Pour boire une bonne bouteille sans avoir à payer un prix de fous.

- On y va en tête-à-tête, bien que le nombre de décibels soit assez élevé, ou avec les copains.

- Le Quartier général est aussi ouvert pour le lunch.

$$

Ouvert le midi, du lundi au vendredi
Ouvert le soir, tous les jours

1251, rue Gilford, Montréal
514 658-1839
www.lequartiergeneral.ca

Talay Thai II

C'est aux abords d'un large boulevard chauve honorant stationnements et VUS, qu'est installé l'un des bons restaurants thaïlandais de la région métropolitaine, le Talay Thai II. En plus, ce n'est pas très cher et on y apporte son vin. Au menu, les classiques connus des Nord-Américains – en commençant par le pad thaï – se mêlent à toutes sortes de déclinaisons savoureuses, vivifiantes, sur les thèmes thaïlandais : crevettes et poissons, nouilles de riz, riz collant, légumes croquants, lait de coco, cacahuètes, épices et parfums en tous genres, comme le gingembre, la citronnelle, et, bien entendu, le basilic thaï et les piments. Chez Talay Thai II, les currys ne sont pas aussi somptueux qu'en Thaïlande. Derrière la force du piment ne se cachent pas des réverbérations épicées et parfumées aussi complexes que dans ce qu'on mange dans les troquets de Mahachai ou des marchés de Bangkok. Mais on s'en approche. Et puis il y a la gentillesse, les prix raisonnables, la fraîcheur des produits, la convivialité des lieux...

Pour accompagner la cuisine thaïe, on peut demander du thé vert ou au jasmin. On sert aussi des jus de mangue, litchi, aloès ou même coco. Ou alors on apporte sa propre bouteille de sancerre ou de chardonnay.

- Pour un bon repas exotique à Laval.
- Pour un repas en groupe, le lieu étant très grand.
- Pour préparer un voyage en Thaïlande ou s'en souvenir... à deux ou entre amis.

$ ou $$

Ouvert le midi, du mardi au vendredi
Ouvert le soir, du mardi au dimanche
Fermé le lundi

1585, boulevard des Laurentides, Laval
450 933-7999

Khyber Pass

Malheureusement, la succursale de Laval de ce restaurant n'existe plus. Heureusement, celle de la rue Duluth demeure plus ouverte que jamais. Au menu, une cuisine riche en épices et en saveurs parfumées, peu piquantes, qu'on peut donc faire découvrir aisément aux enfants et à tous ceux qui sont réticents devant les piments indiens ou thaïs. Soupes, ravioles, brochettes, riz et plats de la cuisine afghane nous réconfortent et nous réchauffent.

Décoration typique chaleureuse, avec étoffes somptueuses et vêtements traditionnels suspendus, cartes explicatives, etc.

• Pour un bon repas exotique.

• Idéal pour un repas en petit groupe ou en famille, car les portions sont copieuses. On partage.

• Prix très raisonnables.

Ouvert le soir, tous les jours

506, avenue Duluth Est, Montréal
514 844-7131
www.restaurantkhyberpass.com

93

Kanbai

Magnifique nouvelle cette année. Le Kanbai, mon restaurant chinois préféré, qui est installé rue Sainte-Catherine Ouest près de Saint-Mathieu et toujours rempli d'étudiants *cool* de l'Université Concordia, compte maintenant un petit frère dans le quartier chinois, donc à deux pas de *La Presse*. Yé ! Et il est aussi bon que le premier. Je le sais, j'ai comparé les plats. La salade de méduse, par exemple. La soupe au poisson et au poivre du Sichuan aussi. Et j'en ai essayé un nouveau que j'adore : le porc au bambou. Ici, on ne choisit pas les clichés. On s'aventure dans une Chine qu'on connaît moins et qui nous enchante. À prix raisonnables en plus.

La nouvelle immigration chinoise nous apporte une cuisine plus authentique, plus variée. Le Kanbai en est un magnifique exemple.

- Pour un souper avec des amis à prix super raisonnable.
- Pour voir la jeunesse asiatique montréalaise.
- Pour un premier repas galant surprenant, aventurier.
- Pour se rappeler de beaux souvenirs de voyage.
- Pour avoir l'impression de voyager, depuis Montréal.

Ouvert le midi et le soir, tous les jours

1813, rue Sainte-Catherine Ouest, Montréal
514 933-6699

1110, rue Clark, Montréal
514 871-8778

Ta Chido

Si vous aimez les déclinaisons kitsch sur le thème de la madone ou du squelette, vous allez vous amuser ici. La déco est complètement éclectique. C'est un Mexique un peu surréaliste qu'on découvre et qui nous fait sourire. Au menu : les fameuses quesadillas, à la base de l'alimentation de ce pays, ainsi que les tortas, ces généreux sandwichs mexicains qu'on garnit de porc effiloché ou de jambon, avec tomate, oignon, avocat, fromage. C'est copieux, équilibré, complexe, jamais banal. Savoureux, surtout. Et on commande une limonade maison au citron vert pour rincer le tout !

Ce minuscule établissement mexicain compte peu de tables et a un menu restreint. Mais il est amusant.

- Pour un souper pas cher et pour prendre quelques verres au son de la musique mexicaine, le week-end.

- Pour se rappeler des souvenirs de voyage ou préparer mentalement un séjour au Mexique.

- Pour un lunch rapide.

Ouvert le midi, du mardi au dimanche
Ouvert le soir, du mardi au samedi
Fermé le lundi

5611, avenue du Parc, Montréal
514 439-0935

95

Imadake

La dernière fois que je suis allée chez Imadake, c'était un lundi soir de juillet. Je croyais que ce serait calme. Pas du tout. Le lieu débordait d'étudiants célébrant je ne sais quoi. Le degré de décibels était élevé. Le niveau de joie et d'amusement aussi. Comme dans toutes les bonnes *isakayas*, on crie bonjour en japonais en arrivant. On vous offre des petits plats qui se suivent, se côtoient et se partagent comme des tapas. Brochettes de flanc de porc, morue noire, salade de daïkon... C'est savoureux, abordable, facile à aimer. On y retourne ?

Pour passer une soirée très animée, très joyeuse, avec la jeunesse asiatique montréalaise.

- Pour avoir l'impression d'être plongé dans une Asie branchée, jeune, gourmande, près de Tokyo, mais aussi suspendue entre Singapour et Séoul.
- Pour sortir en groupe.
- Pour prendre un verre et manger.
- Nombre élevé de décibels.

$

Ouvert le midi, du lundi au vendredi
Ouvert le soir, tous les jours

4006, rue Sainte-Catherine Ouest, Montréal
514 931-8833
www.imadake.ca

Piada

Connaissez-vous les piadine, ces sandwichs typiques de l'Émilie-Romagne, faits avec des pains plats, ronds, très fins, presque feuilletés, qu'on garnit de toutes sortes de produits : roquette fraîche, porchetta – ventre de porc haché –, aubergine frite ou *fior di latte*, tomate et basilic. Il y a peu d'endroits où l'on en sert à Montréal, mais l'un d'eux est au Marché de l'Ouest, à Dollard-des-Ormeaux. Étrange ? Oui, mais sur la terrasse, l'été, on a l'impression d'être au pays du *calcio*. Surtout si on accompagne le tout d'un *chinotto*, boisson gazeuse qui rappelle le Campari par son amertume fruitée. À essayer. Et bien, bien meilleur que tous ces sandwichs ennuyeux qu'on trouve habituellement dans ce type de lieux.

La piadina se fait aussi en version sucrée, au Nutella ou alors avec des fruits et du sucre.

- Pour un repas familial d'été, sur la terrasse qui est bien protégée de la circulation par les marchands de fleurs.

- Pour un en-cas de mi-journée.

- Pour un lunch savoureux, rapide, sans chichi.

- Une des rares adresses où l'on sert une cuisine italienne authentique pour pas cher dans l'ouest de l'île.

Ouvert en journée, selon l'horaire du marché

Marché de l'Ouest
11 702, boulevard de Salaberry
Dollard-des-Ormeaux
514 542-0958
www.piada.ca

Arouch

Ma famille a un immense faible pour les lahmajouns de la petite chaîne Arouch. Quand on a goûté à ces roulés faits de pizzas arméniennes et de garnitures fraîches, on n'a plus envie d'aller manger dans des chaînes de fast-food américaines. Je dis « pizza », mais ce sont en réalité des pitas, grillés et garnis de thym, de fromage ou de viande épicée, sur lesquels on ajoute à notre guise laitue, tomates, olives, navets marinés, avant de les rouler en cornet, un peu comme un gyros grec... Une bouchée et on a l'impression d'être au bord de la Méditerranée. On déguste le tout sur place, dans une ambiance un peu *food court,* dans l'auto en allant à notre prochain rendez-vous ou bien à la maison.

Il y a plusieurs Arouch : sur Côte-des-Neiges, au centre-ville, rue de Liège et à Laval. Mais il n'y en a aucun près de *La Presse* ! À quand un camion ?

- Pour un pique-nique ou un lunch rapide.

- Un des meilleurs rapports qualité-prix en ville pour ce genre de repas sur le pouce.

- Les enfants adorent, car ils peuvent choisir ce qu'ils veulent dans leur pizza.

Ouvert le matin, le midi et le soir, tous les jours

5216, chemin de la Côte-des-Neiges, Montréal

1600, boulevard de Maisonneuve Ouest, Montréal

917, rue de Liège Ouest, Montréal

3467, boulevard Saint-Martin Ouest, Laval

---

www.arouch.com

Qing Hua

Si on ne veut pas attendre trop longtemps, on appelle et on passe sa commande avant d'arriver. Car les dumplings, ici, sont faits à la minute. Tous ceux que j'ai envoyés chez Qing Hua, pas loin de l'Université Concordia, en sont revenus ravis. Certains sont même devenus accros de ces ravioles qui sont au cœur la cuisine du Liaoning dans le nord-est de la Chine. J'ai un faible pour les dumplings à la soupe, où ce ne sont pas les dumplings qui flottent dans le bouillon, mais bien l'inverse : le bouillon est à l'intérieur, et les petits coussins éclatent en bouche.

Il y a maintenant une succursale sur Saint-Laurent, dans le quartier chinois, mais je continue de préférer le restaurant original.

- Pour un lunch ou un tête-à-tête *relax*.
- Pour un groupe d'amis qui a juste envie d'être ensemble, sans chichi.
- Pour découvrir les « soup dumplings » ou dumplings juteux, une spécialité du nord de la Chine.
- Une des bonnes adresses du Chinatown Ouest.
- À essayer avec les enfants qui apprécieront aussi les plats de grosses nouilles fraîches.

$

Ouvert le midi et le soir, tous les jours

1676, rue Lincoln, Montréal
438 288-5366

1019, boulevard Saint-Laurent, Montréal
514 903-9887

Le Roi du wonton

Quel joli nom pour ce restaurant spécialiste des… wontons, où l'on prépare ces petits coussins remplis de saveurs, en toutes sortes de versions, dans toutes sortes de bouillons. En hiver, on aime le côté chaleureux et réconfortant de cette cuisine. En tout temps, on apprécie les prix hyper raisonnables et le fait que tout soit cuisiné maison. Même les biscuits aux amandes sont faits maison. Intérieur plus que minimaliste et, au menu, des nouilles et encore des nouilles, dans de la soupe chaude, farcies avec des crevettes, du porc, du poulet…

À ne pas manquer : les très savoureux dumplings poêlés, regorgeant de parfums de gingembre et de coriandre.

- Pour un très bon repas.
- Une des bonnes adresses pas chères, mais de qualité du nouveau quartier chinois de l'ouest de la ville.
- Propriétaires accueillants et extrêmement souriants.
- Oui, on y sert une cuisine vraiment maison.

Ouvert le midi et le soir, du lundi au samedi
Fermé le dimanche

2125, rue Saint-Marc, Montréal
514 937-5419

Noodle Factory

Comme ce restaurant n'est pas loin de *La Presse*, j'y vais souvent le midi. C'est toujours bondé. Mais la clientèle tourne. On n'attend jamais très longtemps. Et les serveurs sont efficaces. Ici, les pâtes chinoises sont faites maison. On voit le cuisinier les préparer. Je prends presque toujours la même chose : les grosses pâtes de style Shanghai bien dodues et les dumplings au bouillon, où ce dernier est à l'intérieur des ravioles qui éclatent en bouche, juteuses à souhait.

Pour un lunch rapide savoureux, en semaine, ou alors durant le week-end, en famille.

- Parfait pour un repas avant un spectacle : on n'est pas loin de la Place des Arts et des théâtres du centre-ville.

- Accueil sympathique, service rapide.

- Pour un tête-à-tête vraiment très informel pour amoureux fauchés, mais qui adorent voyager sans sortir de la ville.

- Même les files d'attente bougent vite.

- La salle est trop petite pour accueillir les groupes nombreux.

$$

Ouvert le midi et le soir, tous les jours

1018, rue Saint-Urbain, Montréal
514 868-9738
www.restonoodlefactory.com

QUEL GENRE DE LIEU CHERCHEZ-VOUS ?

UNE BONNE TERRASSE
104

MANGER DANS LA RUE
106

ON VA CHERCHER LE REPAS ?
110

Tasso bar à mezze

La rue Saint-Denis est connue pour ses terrasses, qui ne sont malheureusement pas toutes aussi intéressantes les unes que les autres quand vient le temps d'y manger. Une valeur sûre : le Tasso, près de Roy. Au menu, de la cuisine grecque modernisée, des classiques revisités et bien travaillés du pays de Zorba : tartare de cardeau à la saumure d'olives, huîtres à l'origan frais et à l'émulsion de citron, mousse de yaourt grec et gelée de Samos... Sans oublier poissons et de fruits de mer tout simplement grillés, avec citron et câpres. On rince le tout avec un verre d'assyrtiko du domaine Argyros de Santorin. On adore.

L'hiver, on va chez Tasso pour avoir l'impression d'être encore en été, grâce au décor lumineux, tout blanc.

- Un de mes restaurants grecs préférés de Montréal.
- Pour préparer un voyage ou pour se rappeler de bons souvenirs.
- Idéal pour un repas entre amis. Mais on peut aussi très bien y aller en tête-à-tête.
- Pour manger du bon poisson sans payer le prix de chez Milos.
- Belle carte des vins grecs.

$$ ♥

Ouvert le midi, du lundi au vendredi
Ouvert le soir, du lundi au samedi
Fermé le dimanche

3829, rue Saint-Denis, Montréal
514 842-0867
www.tassobaramezze.com

La Famille

Ici, on vous avertit, c'est tout petit. Et on ne peut pas réserver. Donc n'arrivez pas en pleine heure de pointe. Et profitez des beaux jours sur la terrasse, de l'autre côté du trottoir. Pour le reste, vous connaissez l'histoire ? Un comptoir. Quelques tabourets. Une ardoise où l'on trouve les plats du jour, que ce soit le brunch ou le lunch. Et deux frères cuisiniers qui nous régalent de leurs créations éclatées. Pain perdu aux ananas rôtis, clémentines et crème au citron vert. Brioche tout cochon, salade mexicaine multicolore à l'avocat, haricots, poivrons rouges... Les textures crémeuses, croquantes se frôlent, se complètent. Les saveurs sucrées et salées s'entremêlent. Le bonheur vitaminé. Tout sauf endormant.

Ici, toutes les viennoiseries sont faites sur place. Ne pas manquer les brioches et les chaussons craquants, beurrés, feuilletés. Une création poire-mûres, ça vous dit ?

- Pour un brunch hors du commun.

- Pour un lunch savoureux à prix raisonnable.

- Pour le 5 à 7, où les vins naturels sont à l'honneur.

- Pour manger sur la terrasse et regarder les gens passer dans la rue Saint-Denis, juste à côté.

$ et $$

Ouvert en journée, tous les jours
Ferme tôt en soirée
Brunch le samedi et le dimanche

418, rue Gilford, Montréal
514 508-8700

Grumman 78

Si la cuisine de rue fait maintenant partie du paysage montréalais, on le doit beaucoup au travail de pionnier de ce restaurant de la rue De Courcelle, qui a commencé comme camion spécialisé en tacos modernes et revisités. Aujourd'hui, on le trouve un peu partout à Montréal durant la belle saison, notamment sur le terrain du festival Juste pour rire ou au Parc olympique le premier vendredi du mois. On peut aussi manger la cuisine du Grumman 78 au quartier général de l'équipe, dans Saint-Henri, un immense entrepôt rénové de façon *shabby* chic. Super sympa. Et bon.

Un excellent local à louer, en semaine, pour des fêtes ou des événements.

- Pour un repas du vendredi soir en famille. On emmène même le chien et on mange dehors. Décontracté.

- On peut faire venir le camion sur les lieux d'une fête privée.

- Pour savoir où trouver les tacos, on regarde sur le site Internet de l'équipe ou alors sur Twitter à @grumman78.

- Pour un party de bureau ou une grande réunion festive, on loue tout le resto.

$

Ouvert le soir, du lundi au vendredi
Fermé le mardi

630, rue De Courcelle, Montréal
514 290-5125
www.grumman78.com

Satay Brothers

Chez les Satay Brothers, on mange singapourien, c'est-à-dire une cuisine qui tire son inspiration autant de la Malaisie que de la Thaïlande, de l'Indonésie, de la Chine et de l'Inde… Chez Alex et Mat Winnicki, dont la mère est singapourienne et cuisinière, il y a toujours les satés du jour, par exemple, ces brochettes de poulet, de porc, de crevettes, hyper tendres, hyper juteuses, servies avec une sauce aux arachides parfumée et relevée. Aussi au menu : salade de papaye verte bien relevée, *mee goreng*, un plat de nouilles frites servies avec des carottes, des œufs, du chou, des tomates, des crevettes et des piments (évidemment). Sans oublier le sandwich au porc grillé servi dans un *bun*, avec sauce hoisin, un peu comme chez Momofuku. On aime manger tout ça en plein air l'été au marché Atwater ou, l'hiver, à la nouvelle adresse de la rue Saint-Jacques.

Les Satay Brothers ont aussi un service de traiteur pour fêtes ou réunions avec menu original.

- Pour manger en plein air, mais à l'abri de la pluie.
- Les plats sont servis dans de la vraie vaisselle en porcelaine.
- Pour un lunch au marché avant de faire les courses.

Ouvert en journée, selon l'horaire du marché
Fermé le mardi et le mercredi

Été
Marché Atwater
138, avenue Atwater, Montréal
514 661-6983
www.sataybrothers.com

Hiver
3911, rue Saint-Jacques, Montréal
514 587-8106

Crêperie du marché

Les amateurs de crêpes, qu'ils soient montréalais, français ou bretons, sont tous d'accord pour dire que celles de la Crêperie du marché du marché Jean-Talon sont solidement au sommet du palmarès des meilleures crêpes en ville. On commence par une crêpe salée au sarrasin, légèrement croustillante, qu'on fait garnir d'ingrédients variés — jambon, œuf, béchamel, légumes bio — et on finit par une crêpe sucrée, plus souple, garnie de chocolat de qualité, de caramel au beurre salé — wow ! — ou de fruits frais. Ces crêpes se mangent à toute heure de la journée, sur le pouce ou à une table à pique-nique.

Sel de Guérande, beurre salé... Les ingrédients typiques de Bretagne sont au rendez-vous.

- Pour un petit-déjeuner copieux ou un brunch rapide.

- Idéal pour ceux qui veulent aller faire leurs courses au marché et qui veulent bien petit-déjeuner.

- Pour un lunch sur le pouce intéressant, si on est dans le quartier.

- Malheureusement, il n'y a plus de comptoir au marché Atwater.

Ouvert en journée, selon l'horaire du marché

Marché Jean-Talon
7070, Henri-Julien, Montréal
514 238-0998

Aqua Mare

Ce petit comptoir de friture installé à l'arrière d'une poissonnerie dans le coin nord-est du marché Jean-Talon est un incontournable lorsqu'on fait ses courses à cet endroit. Ici, on attrape quelques crevettes ou éperlans, bien chauds, tout droit sortis de la friteuse, accompagnés d'une sauce tartare ou d'une mayonnaise épicée. Pour les moins aventureux, on choisit le *fish and chips* ou les calmars frits. Tout le monde adore.

Il y a des tables tout autour pour s'asseoir et manger.

- Pour les crises de nostalgie de bord de mer en plein été ou au printemps.

- Pour un repas sur le pouce qui sort de l'ordinaire.

- Pour les amateurs de fruits de mer façon *fish and chips*.

- Pour un arrêt repas rapide et délicieux quand on fait ses courses au marché Jean-Talon.

Ouvert en journée, selon l'horaire du marché

Marché Jean-Talon
7070, avenue Henri-Julien, Montréal
514 277-7575

Triple Crown

On va chez Triple Crown pour manger sur place, sur un tabouret, ou alors pour attraper un de leurs délicieux paniers remplis de victuailles et aller faire un pique-nique sur une des tables du parc de la Petite-Italie, situé entre Clark et Saint-Laurent, au sud de Saint-Zotique. On fournit même de la vraie vaisselle, une vraie nappe, de vrais couverts... Au menu du Triple Crown : poulet frit, porc effiloché, salades... De la cuisine inspirée de celle du sud des États-Unis, incluant pain de maïs et sauces épicées. À ne pas manquer : les boissons gazeuses maison, dont une excellente bière de gingembre très parfumée.

Ce restaurant est ouvert tous les jours, sauf le mercredi et, chose intéressante, il fait la livraison !

- Pour faire un pique-nique.

- Pour un lunch rapide, on mange au comptoir, sur place.

- Pour apporter, ou se faire livrer, un repas à la maison.

Ouvert le midi et le soir, du jeudi au mardi
Fermé le mercredi

6704, rue Clark, Montréal
514 272-2617
www.facebook.com/DinetteTripleCrown

La Bête à pain

Pains de grande qualité, biscuits particulièrement délicieux, brownies, salades, cretons... On trouve une grande variété de produits dans ce lieu qui est à la fois traiteur et boulangerie (spectaculaire), et qui a un petit comptoir de pâtisseries. La qualité est celle de ce que l'on mange au St-Urbain, restaurant piloté par les mêmes propriétaires, mais en version à emporter.

Il y a maintenant des tables à La Bête à pain, pour pouvoir manger sur place, notamment pour le brunch le week-end.

- Pour prendre une bouchée sur place ou acheter un repas à emporter.
- Pour acheter des éléments d'un repas : des charcuteries, de délicieux biscuits, du pain.
- Assurément la meilleure adresse dans cette catégorie dans ce coin de la ville.

Ouvert en journée, du mercredi au dimanche
Brunch le samedi et le dimanche
Fermé le lundi et le mardi

114, rue Fleury Ouest, Montréal
514 507-7109
www.lesturbain.com

Bofinger

Il y a trois Bofinger dans la grande région métropolitaine : un à Notre-Dame-de-Grâce, un au centre-ville dans la rue University et un sur l'avenue du Parc. Chez Bo', comme l'appellent les habitués, les côtes levées sont braisées, piquantes, juste assez collantes… On mord dedans à pleines dents, et la viande, qui est fumée sur place avec du bois d'érable, fond toute seule. Les épices utilisées sont naturelles, tout comme les sauces faites à partir d'ingrédients simples, nous garantit-on. Dans les restos, le décor rétro est sobre et de bon goût. Rien de wow, mais rien de triste non plus. Donc on peut manger sur place. La poutine, avec sa sauce bien poivrée, est aussi délicieuse.

On peut faire livrer des côtes levées à la maison avec le service À la Carte Express.

- On y va en groupe, avec des enfants ou même des ados.
- Pour emporter un repas à la maison, qu'on mangera dans le jardin ou devant la télé.
- Pour faire un pique-nique dans un parc, pendant que les enfants jouent.

Ouvert le midi et le soir, tous les jours

5667, rue Sherbrooke Ouest, Montréal
514 315-5056

1250, rue University, Montréal
514 750-9095

5145, avenue du Parc, Montréal
514 564-3411

---

www.bofinger.ca

QUEL GENRE DE CUISINE VOULEZ-VOUS GOÛTER ?

DES SUSHIS

114

DES TAPAS

117

DU POISSON

119

DE LA CUISINE DE BISTRO RÉINVENTÉE

121

DE LA CUISINE VÉGÉTARIENNE

124

DE LA CUISINE POUR VOYAGER

127

UN PETIT-DÉJEUNER OU UN BRUNCH

141

DU BON FAST-FOOD PAS INDUSTRIEL

145

UN LUNCH RAPIDE DE QUALITÉ

152

UN DESSERT SEULEMENT

159

UN BON CAFÉ

168

Park

Antonio Park est né en Argentine de parents d'origine coréenne. Mais il prépare à Montréal, à Westmount pour être plus précise, une cuisine d'inspiration japonaise conjuguée avec des produits d'ici. Après avoir travaillé au 357 C, au Kaizen et même brièvement chez Masa, à New York, le voilà dans son restaurant, où il fait pratiquement tout. On adore s'asseoir au bar, d'ailleurs, pour le regarder cuisiner ses poissons, qu'il tue par acupuncture, et ses coquillages, qu'il sait cuisiner pour qu'ils demeurent fondants, savoureux, impeccables.

Dans les cuisines japonaise et coréenne, il y a souvent de petites notes sucrées, que le chef s'amuse à rendre avec du sirop d'érable.

- Pour un bon repas dans un quartier qui compte peu d'adresses intéressantes.
- Pour de bons sushis.
- Pour une cuisine asiatique fusion créative.
- Pour un tête-à-tête ou un repas à quatre.

$$

Ouvert le midi et le soir, du lundi au samedi
Brunch le samedi
Fermé le dimanche

378, avenue Victoria, Westmount
514 750-7534
www.vicpark.com

Tri Express

Ici, on peut seulement payer comptant et on ne vend pas d'alcool. Deux bonnes raisons pour tourner les talons et aller ailleurs chercher ses sushis. Pourtant, on y retourne. Parce que les créations du chef Tri Du – salades, makis, cornets complexes et montages croquants-fondants – sont amusantes. Parce que le poisson est impeccable. Parce que le lieu est surprenant, rempli d'objets hétéroclites, de tables de marbre, de gens du quartier qui ont l'air de se régaler. On peut manger dehors quand il fait beau. On peut aussi commander pour emporter et se faire un festin à la maison, avec toute la bière ou le saké qu'on veut.

Pour ne pas trop attendre, on appelle le restaurant à l'avance et on passe cueillir sa commande. Mais il ne faut pas oublier de vérifier que tous les plats sont effectivement dans le sac quand on repart !

- Un des bons comptoirs à sushis indépendants et créatifs en ville.

- Pour faire plaisir à un amateur de sushis.

- Pour un lunch.

- On commande et on fait un pique-nique.

- Pas de carte des vins et on ne peut pas apporter de bouteille non plus.

$$

Ouvert le midi, du mardi au vendredi
Ouvert le soir, du mardi au dimanche
Fermé le lundi

1650, avenue Laurier Est, Montréal
514 528-5641
www.triexpressrestaurant.com

Jun-I

Le nom de Junichi Ikematsu, du restaurant Jun-I, revient systématiquement lorsque je demande à des Japonais habitant Montréal quel est leur restaurant nippon préféré. Il faut dire que cet établissement est un classique. On y prépare des sushis et sashimis impeccables. À la japonaise. Et la liste de sakés est longue et authentique. Mais on y trouve aussi des plats influencés par la cuisine française. Tartare de thon rouge à l'huile de truffe noire. Bar rayé à la coriandre, persil et noix de Grenoble. Bref, le Jun-I a une personnalité un peu hybride qui surprend les puristes et ravit les autres.

Du mardi au vendredi, on peut luncher chez Jun-I, une façon plus abordable de goûter à cette fine cuisine.

- Pour amateurs sérieux de cuisine japonaise et de sushis.
- On n'est pas dans une succursale d'une grande chaîne ni dans un restaurant buffet à volonté à prix réduit. Prix en conséquence.
- Restaurant de grande classe pour repas d'affaires ou tête-à-tête en amoureux.
- Pour boire du bon saké.
- Pour voyager un peu au Japon.

$$$

Ouvert le midi, du mardi au vendredi
Ouvert le soir, du lundi au samedi
Fermé le dimanche

156, avenue Laurier Ouest, Montréal
514 276-5864
www.juni.ca

Tapeo

Logé dans Villeray, loin du centre-ville, le Tapeo est un restaurant de quartier pionnier du renouveau de toute cette zone aujourd'hui devenue très à la mode. On y mange le soir avec des amis, le midi pour un lunch d'affaires qui sort des sentiers battus. Au menu : savoureuses tapas (de 4 $ à 15 $ chacun) d'inspiration espagnole et portugaise. Si on veut faire une rencontre de travail sympathique ou alors un repas de fête, on peut y réserver la table du chef, qui accueille 14 personnes, dans un coin juste assez isolé du reste du restaurant.

Cette année, le Tapeo célèbre ses 10 ans et aura des assiettes de tapas spéciales et nouvelles, sur un thème bien précis, chaque mois.

- Pour une soirée entre bons amis.

- Classique pour un souper de filles (on peut même réserver la table de 14 à l'écart).

- Pour les amateurs de tapas qui fuient les lieux communs et qui n'ont pas peur des réinterprétations des classiques.

- Bruit considérable.

- On y va aussi avec les enfants qui adorent plusieurs des petits plats : boulettes, pommes de terre...

$$

Ouvert le midi, du mardi au vendredi
Ouvert le soir, du mardi au dimanche
Fermé le lundi

511, rue Villeray, Montréal
514 495-1999
www.restotapeo.com

Pintxo

Au Pays basque, les pintxos sont de petites bouchées qu'on mange debout, appuyé contre le bar. Ici, on s'assoit à table, on pige dans les assiettes des uns et des autres. Asperges au serrano, filets de sardine frais et marinés, œufs brouillés à la morue… Le menu est résolument ibérique même s'il s'y glisse parfois un carpaccio de wapiti ! Les plats sont savoureux, bien préparés, avec des produits frais de qualité. On aime. Et le joli restaurant feutré, sans prétention, permet aisément la conversation.

La cave du Pintxo comprend 70 % d'importations privées et seulement des vins espagnols.

- Pour une rencontre avec une nouvelle flamme.
- Plutôt la deuxième rencontre, en fait, celle où l'on commence à goûter à ce qu'il y a dans l'assiette de l'autre…
- Pour rêver, ou se souvenir, de vacances au Pays basque.
- Excellent restaurant pour un lunch d'affaires décontracté.

Ouvert le midi, du mercredi au vendredi
Ouvert le soir, tous les jours

256, rue Roy Est, Montréal
514 844-0222
www.pintxo.ca

Elounda

Elounda est un restaurant grec classique où l'on trouve mezze – aubergines frites, boulettes, tzatziki, etc. –, poissons et viandes grillés, fruits de mer. On y va pour manger du poisson frais préparé très simplement – câpres, citron –, à des prix raisonnables. Comme on est à Saint-Laurent, dans un petit centre commercial, il y a toujours de la place pour se garer aisément. Tout le monde y est accueilli avec le sourire et, rapidement, on se sent chez soi. La faune est de tous horizons : familles multigénérationnelles, politiciens du coin, gens d'affaires.

Si on décide de manger du poisson, on va le choisir dans un étalage ouvert où il est présenté à tous, sur des glaçons.

- Pour un repas en groupe ou en famille nombreuse. Il y a de grandes tables pour accueillir tout le monde.

- Simple et chaleureux.

- Cuisine de qualité.

- On accueille les enfants avec beaucoup de gentillesse.

$$

Ouvert le midi, du lundi au vendredi
Ouvert le soir, tous les jours

1818, boulevard de la Côte-Vertu, Montréal
514 331-4040
www.restaurantelounda.com

Lezvos Ouest

On aimerait peut-être des prix moins élevés et une carte des vins un peu plus recherchée dans ce petit restaurant de quartier, populaire auprès des amateurs de poisson de Hampstead, Westmount et Notre-Dame-de-Grâce. On aimerait peut-être aussi un aménagement un peu plus sophistiqué, dehors comme dedans. Mais on y retourne quand même. Pour les salades et le poisson grillé. Légers. Savoureux. On n'est pas chez Milos, mais l'esprit est le même. Lezvos Ouest propose exactement le genre de repas simple qu'on partage en famille, un dimanche soir l'été, ou en plein hiver quand on souhaiterait être en été.

Ce restaurant de quartier, qui sort des sentiers battus, est plus achalandé qu'on pourrait le croire : on n'oublie pas de faire une réservation.

- Excellent pour les soupers de filles, surtout s'il y en a dans le groupe qui ne jurent que par le poisson et les fruits, qui, là, ne seront pas ennuyeux.
- Moyenne d'âge au-dessus de la quarantaine, toutefois.
- On y va aisément avec les grands-parents.
- Prix un peu élevés.
- Pour un bon repas de poisson.

$$

Ouvert le soir, tous les jours

4235A, boulevard Décarie, Montréal
514 484-0400

Hambar

Mortadelle maison, jambon ibérique, jambon cru italien, rillettes, foie gras au torchon... La variété de produits sur le plateau de charcuteries de ce restaurant ouvert par un ancien du Pied de cochon dans le Vieux-Montréal – comme la qualité de tous les produits – est impressionnante. Ici, on vient prendre un verre après le travail. On vient rencontrer des amis, manger une bouchée. En été, on s'installe sur la terrasse, de l'autre côté de la rue, sur la place D'Youville.

La liste de vins au verre est longue et remplie de belles trouvailles et de classiques. Un petit verre de Saint-Émilion grand cru vous plairait ? De Barolo ? De Gevrey-Chambertin ?

- On y va pour l'apéro avec des amis et on étire ça pour le souper.
- Pour un 5 à 7 classique.
- Pour un souper de filles – ou de gars – bien vivant.
- Nombre élevé de décibels.
- Pour un verre de vin en fin de soirée.

$$

Ouvert le midi, du lundi au vendredi
Ouvert le soir, tous les jours
Brunch le samedi et le dimanche

355, rue McGill, Montréal
514 879-1234
www.hambar.ca

Les Cons Servent

Ce restaurant du nord-est du Plateau offre un menu classique de néobistro : ris de veau poêlés, tartare, bavette, aile de raie, etc. C'est bruyant comme un bistro parisien, convivial, accessible. On y mange en gang, et tout le monde trouve au menu un plat qui lui plaît. Un restaurant de quartier pas compliqué où l'on peut aussi aller seul et manger au bar.

Il y a un menu ou un plat différents chaque soir. Le mardi, on mange pour 28 $. Le vendredi, c'est le jour des *fish and chips*. À surveiller sur le site Internet du resto.

- Bon niveau de décibels.
- Le bar est parfait pour manger seul et discuter avec le sommelier.
- Pour un repas en groupe.
- Pour les amateurs d'ambiances animées.

Ouvert le soir, tous les jours

5064, avenue Papineau, Montréal
514 523-8999
www.lescs.com

Bistro Chez Roger

Avec son foie gras et sa viande omniprésents, ce bistro ne fait pas dans la dentelle. Il propose une cuisine costaude, que d'aucuns appelleront « de gars ». Autrefois, c'était une taverne. Maintenant, c'est copieux, savoureux, pour carnivores. Côte de bœuf géante, boudin, *fish and chips*, bavette, tartare… Vous voyez le topo. Pour un souper entre copains, après un match de football.

Pour un supplément, on peut ajouter de la truffe ou du foie gras pratiquement dans tous les plats.

- Je le répète : pour un souper de gars.
- Un resto pour carnivores qui offre une cuisine bien faite.
- Pour un repas avec des amis affamés.

Ouvert le soir, tous les jours

2316, rue Beaubien Est, Montréal
514 593-4200
www.barroger.com

Santa Barbara

Ce restaurant n'est pas strictement végétarien, mais on y sert pas mal de plats à base de légumes, en commençant par des salades absolument divines. Même la salade verte est spectaculaire, grâce à la combinaison de verdures savoureuses, et je ne parle même pas de la salade de chou frisé, avocat et graines de tournesol, complexe, croquante, craquante. On a l'impression de mordre dans un jardin en plein mois d'août. Ravissant.

J'adore le travail des légumes dans ce restaurant, et il doit être célébré. J'adore la déco *shabby* chic originale. Mais pourquoi les serviettes en papier et les desserts approximatifs ?

- Pour un repas avec une copine qui aime bien les légumes.
- Pour un repas presque végétarien.
- Liste de vins sympa, mais courte.

$$ ♥

Ouvert le soir, du mardi au samedi
Brunch le samedi et le dimanche
Fermé le lundi

6696, rue Saint-Vallier, Montréal
514 273-4555
www.santabarbaramtl.ca

La Panthère verte

Je préfère la succursale du Mile-End à celle du centre-ville, près de l'Université Concordia, de ce restaurant dont il est difficile de croire qu'il est totalement végétalien. Tout est préparé à la minute, à partir d'ingrédients impeccables, dans ce troquet résolument grano, mais tout à fait moderne et aéré. Le plat le plus réussi : les falafels, servis sur du pain pita de blé entier très frais, avec 1000 garnitures piquantes et croustillantes, si végétales qu'on dirait qu'elles ont poussé dans l'assiette. En fait, ces étonnants falafels valent carrément le détour.

En semaine, la Panthère verte assure la livraison en vélo, dans le Mile-End et sur le Plateau, mais va plus loin pour les commandes de 50 $ et plus.

- Pour un savoureux repas végétalien.

- Pour un lunch différent, léger, écolo, même si on n'est pas du tout végétalien.

- Pour un lunch pas cher, pas compliqué, santé.

Ouvert le midi et le soir, tous les jours
Ferme tôt en soirée, le dimanche

66, rue Saint-Viateur, Montréal
514 903-7770

2153, rue Mackay, Montréal
514 903-4744

www.lapanthereverte.com

Pushap

Ce sont les Indiens qui détiennent le secret de la vraie cuisine végétarienne authentique. Ils ne font pas semblant d'être carnivores, ils sont fiers de servir des plats sans viande et ne cherchent pas le faux canard ou le faux poulet, et certainement pas le bœuf synthétique ! Ces plats, donc, débordent de légumes, de légumineuses, de produits laitiers, de noix et de farines de toutes sortes. Mais on est surtout surpris par la variété d'épices qui font ressortir toutes les saveurs des ingrédients. Dans ce quartier improbable, près du métro De la Savane, on trouve l'essence de la cuisine végétarienne indienne. Et n'oubliez pas de prendre un dessert avant de partir !

Quand j'ai écrit que j'aimais bien ce restaurant dans le journal, plusieurs personnes m'ont rappelé qu'il avait été reconnu coupable d'infractions au code de salubrité de la Ville. Alors voilà. Vous êtes avertis.

- Avis aux *hipsters* : cette adresse exotique impressionne toujours.

- Pour des idées végétariennes nouvelles.

- Pour un repas vraiment pas cher.

- Pas de vin ni de bière.

$

Ouvert le midi et le soir, tous les jours

5195, rue Paré, Montréal
514 737-4527
www.pushaprestaurant.com

Gus

Le nouveau restaurant du chef propriétaire de feu le Jolifou, situé aux abords de la Petite-Italie, est tout petit, bondé, bruyant, fort sympathique. Au menu, on trouve encore cette cuisine inspirée par celle du sud-ouest des États-Unis, que David Ferguson aime bien, mais en version montréalaise : nachos au foie gras, gaspacho au concombre et aux tomatillos, thon grillé à la salsa… Même s'il faut parfois ajouter un peu de piment ici ou de sel là, on apprécie les produits frais, les combinaisons inusitées, l'atmosphère conviviale.

Un restaurant de quartier sympatique, mais petit. Il ne faut pas oublier de réserver.

• Pour un repas avec les copains.

• Pour manger seul au bar.

• Si vous voyez quelqu'un qui n'a pas de tatouage, c'est probablement moi.

$$

Ouvert le soir, du mardi au samedi
Fermé le dimanche et le lundi

38, rue Beaubien Est, Montréal
514 722-2175
restaurantgus.com

Maïs

Installé sur Saint-Laurent près de Bernard, dans un décor rétro vintage *hipster*, Maïs est une nouvelle table aussi adorable qu'abordable. Une jolie nouveauté de la dernière année. On y offre une cuisine mexicaine moderne sur une carte courte, où les plats se démarquent et mettent bien en valeur cette gastronomie chouchou en ce moment, qu'on croyait connaître, mais qui se dévoile de plus en plus sous toutes sortes de jours nouveaux. Pour ce faire, on privilégie les tacos et encore les tacos. De petites créations vendues à l'unité, où s'enlacent des ingrédients frais aux saveurs précises. Flanc de porc fondant sur une crème fraîche maison et cresson, taco aux champignons poêlés et crème aux jalapenos, taco à l'omble de l'Arctique à l'avocat, avec chou mariné façon kimchi... Rien n'est banal dans l'assiette. Un *popsicle* à l'avocat avec tout ça ?

Côté desserts, ne manquez pas le gâteau au chocolat, une mousse dense dont le classicisme est brisé par quelques épices à la mexicaine — est-ce du clou de girofle qu'on a reconnu ? Sûrement de la cannelle... Et ai-je dit que le chocolat chaud est fortifié à la téquila ?

- On y va en groupe, mais on ne peut pas réserver.

- On y va pour rencontrer des gens grâce aux tables de réfectoire.

- Avis aux amateurs de téquila et de mescal : ici, on prend ça au sérieux. Tout comme le *ginger ale* maison.

Ouvert le soir, du mardi au samedi
Fermé le dimanche et le lundi

5439, boulevard Saint-Laurent, Montréal
514 507-7740
www.restaurantmais.com

BarBounya

Ouvert par le restaurateur Edward Zaki (Chez Victoire, Confusion) et Fisun Ercan, la chef d'origine turque du restaurant Su, à Verdun, le nouveau BarBounya nous emmène en Turquie, version moderne, revisitée. On mange de la muhammara remplie du parfum du poivron rouge, du tartare d'agneau croquant de semoule, mais aussi des côtes de porc, des chanterelles sautées ; toutes sortes de plats qui conjuguent l'esprit turc et les produits d'ici. Jolie carte des vins qui se promène du côté de la mer Égée. Service ultra-sympathique et efficace. Un de mes coups de cœur de l'été 2013.

La cuisine n'est pas ouverte, mais elle est vitrée, donc on peut voir la chef et sa brigade travailler.

- Pour un souper de filles.

- Pour nostalgiques de la Turquie.

- Pour un repas rempli de saveurs qui nous font voyager par un petit mardi soir tristounet de novembre, par exemple.

- Parfait pour se faire des amis aux tables communes...

Ouvert le soir, du mardi au samedi

234, avenue Laurier Ouest, Montréal
514 439-8858
www.barbounya.com

Mezcla

La popularité de la cuisine péruvienne est en pleine explosion. Elle se fait remarquer sur la scène internationale. Elle s'impose dans les grandes villes, où, de Londres à Barcelone, on reprend les ceviches et autres créations hybrides nées de la richesse multiculturelle de ce pays andin. À Montréal, quelques restaurants ont décidé de s'éclater aussi, dont Mezcla, situé un peu au sud du Village. Là, on sert des créations inspirées du pays du célèbre Gastón Acurio. Quinoa, poisson cru, piment et encore piment sont au rendez-vous. C'est savoureux. Exotique. Et le lieu est agréable.

On suggère souvent aux clients de prendre le menu dégustation, mais j'ai préféré choisir à la carte. À ne pas manquer : le *leche* de tigre, à savourer avec du maïs rôti.

- Pour voyager un peu au Pérou à Montréal.
- Pour un tête-à-tête surprenant.
- Bruit quand même considérable.
- On peut y aller avec des enfants, qui aimeront notamment le poulet grillé.
- Carte des vins qui privilégie les vins espagnols et sud-américains.

Ouvert le soir, tous les jours

1251, rue de Champlain, Montréal
514 525-9934
www.restaurantmezcla.com

Ruby Burma

On connaît bien la cuisine vietnamienne ainsi que la thaïlandaise. Mais que savez-vous de la cuisine birmane ? Avec son décor minimaliste, son accueil adorable et sa cuisine typique du pays d'Aung San Suu Kyi, Ruby Burma nous la fait découvrir. Salade de gingembre râpé en julienne si fine qu'elle a pratiquement l'air de petites nouilles. Composition de haricots grillés à la sauce au thé fermenté… Tous les plats ne sont pas aussi intéressants les uns que les autres – les nouilles étaient un peu fades –, mais, à des prix comme ça, on peut se permettre d'expérimenter pour trouver nos préférés.

Qui sait où se trouve la Birmanie exactement ? Pour être sûrs qu'on le sache en repartant, les propriétaires du restaurant ont affiché toutes sortes de cartes. Intéressant.

• Pour un repas pas cher.

• Pour être dépaysé, secoué.

• Pour préparer un voyage en Birmanie ou pour se rappeler des souvenirs...

• On y va en groupe.

Ouvert le midi et le soir, tous les jours

3685, boulevard Saint-Laurent, Montréal
514 985-9559

Mangiafoco

Ici, le voyage ne commence pas dans le restaurant comme tel, puisque le lieu est moderne, très montréalais. C'est dans l'assiette qu'on voyage, notamment lorsqu'on commande de la pizza, qui réussit à se rapprocher joliment de celle qui se fait en Campanie, ou alors de la mozzarella. Car Mangiafoco est un bar à mozzarella, comme ceux qu'on trouve en Italie. Il y a la traditionnelle, la *fior di latte*, la mozzarella di buffala, la burrata… On choisit celle qu'on préfère. On choisit la garniture pour l'accompagner. On y va le midi ou le soir. Délicieux.

Un des propriétaires des lieux est le bassiste du groupe Simple Plan, qu'on peut croiser régulièrement dans le restaurant.

• Une bonne adresse dans le Vieux-Montréal, et non un attrape-touriste.

• Pour un lunch à l'italienne.

• Pour sortir en gang le soir.

• Pour de la bonne pizza.

• Si on est un *fan* de Simple Plan !

$ ou $$ ♥

Ouvert le midi, du lundi au vendredi
Ouvert le soir, tous les jours

105, rue Saint Paul Ouest, Montréal
514 419-8380
www.mangiafoco.ca

Scarpetta

Ce restaurant italien ouvert par le propriétaire de Piada au Marché de l'Ouest est l'un des secrets bien gardés de Montréal. On y mange une cuisine italienne simple, bien faite, accessible, toujours savoureuse, grâce au talent d'une chef formée dans les cuisines de la grande Graziella. Arancini (croquettes de riz farcies), polpette (boulettes de viande), mozzarella, pâtes savoureuses, salades. Les plats sont souvent petits comme des tapas à l'italienne. On en prend plusieurs. On partage. Convivial à souhait.

Le propriétaire est le frère de la copropriétaire d'Hostaria. Des liens familiaux qui se traduisent par une même recherche de la qualité simple et vraie.

- Pour un repas entre amis.
- Très convivial. On peut y aller en groupe aisément.
- Pour un repas en famille.
- Pour un petit souper du mardi soir sans chichi.

Ouvert le soir, du mercredi au dimanche
Fermé le lundi et le mardi

4525 avenue du Parc, Montréal
514 903-4447

Omma

Omma signifie « maman » en coréen, et c'est bien cet esprit qui règne à table dans ce petit restaurant coréen du Mile-End : on y mange une bonne cuisine familiale, préparée par une maman qui a appris de la sienne, et ainsi de suite. Grâce à un passe-plat, on aperçoit Mi Kyum Kim, la propriétaire, aux fourneaux. C'est elle qui pilote les opérations. Saveurs riches, plats minutieusement construits, textures contrastantes, décor juste assez sobre, mais aucunement austère... Tous les ingrédients sont là pour faire de ce restaurant de quartier un petit havre de paix.

On n'y cuisine pas des plats décoiffants, mais quand arrivent les assiettes de *bibimpap*, *bulgogi*, etc., par de froides soirées de novembre ou de mars, on est heureux.

- Le week-end, même un dimanche soir, pour un repas en famille ou entre amis.
- Pour un petit mardi soir de déprime.
- Pour une sortie exotique, loin des lieux communs.

$ ou $$

Ouvert le soir, tous les jours

177, rue Bernard Ouest, Montréal
514 274-1464
restaurantomma.com

Damas

La Syrie ne va pas bien. Mais faut-il pour autant oublier que c'est un pays d'une riche culture culinaire, où les saveurs sont remplies de soleil, de chaleur ? Chez Damas, on n'offre ni la cuisine de souk ni de grand-mère, c'est un regard moderne qu'on pose sur les incontournables : fatouche, kibbes d'agneau, muhammara, kébabs… Théoriquement, on choisit d'abord des mezze — petites entrées —, puis un plat principal, mais, en réalité, on peut ressortir du restaurant totalement heureux en ne mangeant que houmous, salade et pain pita. Carte des vins intéressante. Et meilleure glace à la pistache — artisanale — en ville.

Il y a assez de menthe, de citron, d'huile d'olive et de fleur d'oranger dans cette cuisine pour nous rendre heureux en nous donnant l'impression de voyager.

- On y va en groupe. Il y a de la place. Mais on réserve quand même avant.

- On peut aussi y aller en tête-à-tête. Première rencontre, peut-être ?

- Pour nouveaux amoureux qui partagent la passion des voyages.

- Ouvert pour le lunch durant le week-end.

Ouvert le midi, le samedi et le dimanche
Ouvert le soir, tous les jours

5210, avenue du Parc, Montréal
514 439-5435
www.restaurant-damas.com

Thaïlande

Une salade de mangue verte. Un poisson cuit dans le lait de coco. Beaucoup de curry vert, du basilic, des feuilles de lime kéfir... La cuisine thaïe est tout en haut de ma liste de cuisines préférées du monde entier. Tellement savoureuse. Tellement fraîche. Tellement digeste. Dans ce restaurant du Mile-End, on la prépare bien. L'automne, on choisit les soupes pimentées. L'été, on se réfugie dans les salades allumées, piquantes et éclatantes.

Si on réserve suffisamment à l'avance, même en début de semaine, on demande à manger dans la section où tout le monde s'installe par terre, sur des coussins. Exotique !

- Pour calmer une crise de nostalgie de la Thaïlande.
- Pour un tête-à-tête savoureux du mardi soir.
- On accompagne le tout de bière, ce qui contribue à limiter l'addition.
- Pour un repas entre amis, à prix raisonnable.

Ouvert le midi, du mercredi au vendredi
Ouvert le soir, tous les jours

88, rue Bernard Ouest, Montréal
514 271-6733
www.restaurantthailande.com

Devi

Ici, on prépare surtout des plats du nord de l'Inde, plus particulièrement de la région de New Delhi. On joue donc dans les compositions riches en beurre clarifié, crème et épices « massala » bien franches. On mange le tout avec amplement de pain nan, moelleux, sucré et intensément réconfortant. Il y a de nombreuses années, ce lieu accueillait Les Halles, un restaurant français classique, jadis le meilleur en son genre à Montréal. Aujourd'hui, le Devi se targue de faire venir ses cuisiniers directement de l'Inde pour garantir de la cuisine authentique, à la recherche de qualité.

Une des bonnes tables fiables du centre-ville.

• Pour un tête-à-tête exotique.

• Pour amateurs de cuisine indienne qui préfèrent sortir en ville plutôt qu'aller dans les bouis-bouis « apportez votre vin » de Parc-Extension. Prix différents aussi.

• Carte des vins ordinaire. On choisit la bière.

• On peut commander pour emporter.

$$

Ouvert le midi et le soir, tous les jours

1450, rue Crescent, Montréal
514 286-0303
www.devimontreal.com

Aux lilas

Ici, la cuisinière soigne les plats de sa clientèle comme si elle cuisinait pour sa propre famille. Si on ne s'assoit pas trop loin de la cuisine, on peut l'entendre couper les légumes destinés aux salades qu'elle prépare au fur et à mesure. Falafels, baba ghannouj, fatouche… Les classiques sont préparés impeccablement. Pour bien profiter de cette cuisine, on commande un repas de tazka, soit un assortiment d'entrées. Ainsi, on goûte à tout. Si on trouve l'ambiance un peu terne, on peut commander à peu près tous les plats pour emporter.

Une adresse qui peut parfaitement convenir à un groupe de carnivores et de végétariens, notamment grâce à la richesse et la diversité des plats contenant des légumineuses.

- Pour un soir de semaine où l'on est en manque de soleil.
- Pour se rappeler un voyage au Moyen-Orient.
- Pour un tête-à-tête loin des foules.
- Pour montrer aux enfants ce que goûte une bonne salade.
- On peut commander pour emporter.

Ouvert le soir, du mardi au samedi
Fermé le dimanche et le lundi

5570, avenue du Parc, Montréal
514 271-1453
www.auxlilasresto.com

Chipotle & Jalapeño

Ce restaurant porte un regard actuel sur la cuisine mexicaine, une gastronomie en pleines révolution et ébullition. On sent chez Chipotle & Jalapeño le désir de se démarquer aussi en réinventant les potages, empanadas, enchiladas, etc. Malgré le nom — ce sont deux piments très forts —, les plats demeurent doux et accessibles. Il y a au deuxième étage des étalages d'épicerie. On peut y acheter des produits mexicains — sauces, épices, chocolat, etc. — pour préparer cette cuisine à la maison.

L'été, on se réfugie sur la terrasse ensoleillée. L'hiver, on se blottit au sous-sol aux murs de pierres, avec éclairage halogène et comptoir de bois blond.

- Pour avoir un peu l'impression d'être au Mexique, mais dans un restaurant soigné, moderne.

- Pour un repas vraiment abordable, qu'on arrose d'une bière fraîche.

- Pour prolonger des vacances au Mexique ou les préparer.

- Pour parler espagnol !

$

Ouvert le midi, tous les jours
Ouvert le soir, du mercredi au dimanche

1481, rue Amherst, Montréal
514 504-9015
www.chipotleetjalapeno.ca

La Caverne

Si vous êtes pris d'une envie de voyage par un soir d'automne un peu gris, voilà un endroit vraiment dépaysant. On y joue de la musique slave. Aux murs, têtes de bêtes empaillées et fausses pierres. En salle, des plateaux couverts de verres de vodka. Cet endroit est plus qu'un restaurant où l'on peut manger une cuisine typiquement russe, c'est une destination exotique totalement allumée. Et un point de rencontre pour tous ces Montréalais qui parlent la langue de Dostoïevski. Au menu : bortsch, soupe aux choux et à la betterave, pain noir, blinis. Et toutes sortes de salades qu'on choisit pour leur couleur. Le vendredi et le samedi soir, on chante et on danse à la russe. *Fun*.

La dernière fois que j'y suis allée, un groupe d'étudiants russes de l'Université de Montréal y avaient invité leurs amis pour leur faire goûter un peu de leur culture, en commençant par la vodka. Très sympathique.

• Pour surprendre quelqu'un avec une sortie pas banale.

• Pour voyager un peu en Russie depuis Montréal.

• Le vendredi et le samedi, il y a de la musique, et la vodka est bien froide.

• Le reste de la semaine, on y va avec les enfants si on veut.

$ ou $$

Ouvert le midi et le soir, tous les jours

5184 A, chemin de la Côte-des-Neiges, Montréal
514 738-6555
www.lacaverne.ca

Régine Café

Là où était autrefois le Jolifou, rue Beaubien près de Papineau, il y a maintenant un restaurant spécialisé dans les petits-déjeuners et les brunchs. Qu'on s'assoie au bar pour déguster tranquillement un café et une viennoiserie faite sur place ou qu'on s'installe à une table, en groupe, pour manger des plats remplis de créativité conviviale – gaufres au maïs et au gravlax, jambon cuit sur l'os, œuf à l'écossaise –, on en ressort repu et souriant. Et l'accueil est franchement sympathique.

Attention, on peut petit-déjeuner, luncher ou bruncher au Régine Café, mais, après 15 h, tout est fermé.

• Pour un petit-déjeuner copieux, sympathique, frais.

• Pour un lunch ou un brunch avec les copines.

• Une bonne adresse dans un quartier en transformation, mais qui en compte encore trop peu.

 **$ ou $$** ♥

Ouvert le matin et le midi, tous les jours
Brunch tous les jours

1840, rue Beaubien Est, Montréal
514 903-0676
www.reginecafe.ca

Boulangerie Guillaume

Qu'on y aille pour chercher du pain, un sandwich ou une viennoiserie, difficile de ne pas repartir avec trois fois plus de gâteries que ce qu'on avait prévu lorsqu'on se rend à ce petit comptoir du Mile-End où Guillaume Vaillant prépare ses pains avec doigté et créativité mesurée. On aime tout, que ce soit une simple baguette ou une création plus baroque : fougasse cheddar et figues, baguette au chocolat amer, etc. Le café est serré. Il y a aussi quelques tabourets pour manger sur place. Donc on s'y attarde pour le petit-déjeuner ou le lunch.

Le café provient de chez Saint-Henri micro-torréfacteur, donc il est fait à partir de grains de grande qualité, soigneusement torréfiés.

- Pour acheter du pain et attraper le petit-déjeuner.
- Si on y va le matin, les viennoiseries sont encore chaudes.
- Pour un lunch ultrarapide, mais bon, de type sandwich et café.
- Une rare boulangerie fine où le café est à la hauteur de la qualité des croissants.

 $

Ouvert en journée, du mercredi au dimanche
Fermé le lundi et le mardi

17, avenue Fairmount Est, Montréal
514 507-3199
www.boulangerieguillaume.com

Arhoma

On connaît maintenant bien les produits d'Arhoma — « homa » comme dans Hochelaga-Maisonneuve — parce qu'ils sont vendus un peu partout dans la ville. Mais tout a commencé ici, place Simon-Valois, dans ce petit havre de qualité, d'originalité et de gentillesse, en plein cœur de ce quartier de l'est de la métropole. L'endroit est plein de gens du coin, qui se retrouvent autour de leur amour pour du pain frais, préparé à partir de farine bio. Il y a aussi le café qui est bon et équitable. Quelques tables permettent de manger sandwichs, croissants, etc.

L'été, on mange sur la jolie terrasse.

- Pour un lunch rapide ou un petit-déjeuner.

- Pour un bon repas simple, dans un quartier en transformation où l'on aime tomber sur des adresses gourmandes de qualité.

- Nouvelle succursale au nord du Village, angle Papineau et Ontario.

- On trouve les produits Arhoma dans plusieurs autres commerces de la ville.

$

Ouvert en journée, tous les jours
Ouvert le soir, le jeudi et le vendredi

15, place Simon-Valois, Montréal
514 526-4662

1700, rue Ontario Est, Montréal
514 598-1700

www.arhoma.ca

Brasserie Réservoir

Le Réservoir fait partie de ces adresses où j'emmène ma famille pour le brunch, le week-end. Étonnant, puisque c'est d'abord un bar. Oui. Mais le menu des petits-déjeuners qui sont pratiquement des lunchs se distingue de ceux des autres restaurants à brunchs montréalais. *Grilled-cheese*, bacon, œufs au plat et verdure. Boudin noir sur tombée de chou. Gravlax et céleri rémoulade. Les plats sont réconfortants, savoureux, changent constamment au gré des humeurs du chef et du marché, mais sont toujours un peu plus originaux que ceux des restaurants à brunchs traditionnel.

On peut aussi luncher le vendredi au Réservoir. Sans parler des 5 à 7.

- Pour sortir avec des amis ou à deux.
- Pour le 5 à 7, pour le brunch.
- On accepte les réservations pour le lunch du vendredi seulement. Pour le reste, premier arrivé, premier servi.

$ ou $$

Ouvert le midi, le vendredi
Ouvert le soir, tous les jours
Brunch le samedi et le dimanche

9, rue Duluth Est, Montréal
514 849-7779
www.brasseriereservoir.ca

Blackstrap BBQ

Cette nouvelle adresse de la rue Wellington à Verdun est vraiment un coup de cœur, et pas seulement parce qu'elle se situe dans un quartier qui a bien besoin de tables intéressantes, quelles qu'elles soient. Ici, les côtes levées fumées sont tellement bonnes qu'elles valent carrément le détour. Le menu est court, mais réussit à être diversifié : porc, poulet, poitrine de bœuf (*brisket*) et même dinde. Tout ça est fumé, braisé, assaisonné avec des mélanges d'épices complexes, des sauces sucrées... Les assiettes sont servies avec salade de chou, macaroni au fromage en cubes panés, frites, verdures braisées. Difficile de ne pas repartir de là rassasié.

Vaut mieux arriver dans ce restaurant avec un bon appétit, car les portions sont généreuses, et le poulet fumé et frit vaut la peine d'être essayé...

• Pour un lunch ou un souper rapide, sans façon, délicieux.

• Pour les amateurs de *ribs* et de viandes fumées.

• Tables de réfectoire sympathiques pour se faire des amis.

 $ ♥

Ouvert le midi et le soir, du lundi au samedi
Fermé le dimanche

4436, rue Wellington, Montréal (Verdun)
514 507-6772
www.blackstrapbbq.ca

Village Grec

Situé dans la rue Jean-Talon, dans Parc-Extension, là où le quartier grec est aussi un peu pakistanais, le restaurant Village Grec est une destination phare pour tous ceux qui aiment les gyros pitas, comme en Grèce. Oui, je parle ici de ces pains plats, roulés et remplis de viande grillée, d'oignons, de tomates, de tzatziki, qu'on trouve partout au pays de Poséidon et qui constituent le repas sur le pouce et convivial par excellence. Ici, on peut manger dans une atmosphère qui n'a pas l'air d'avoir changé d'un iota depuis les années 70. Ou alors on commande et on emporte le repas pour faire un pique-nique ou le manger à la maison ou au bureau.

C'est une amie d'origine grecque qui m'a fait découvrir cet endroit, le seul à Montréal, selon elle, où les sandwichs ressemblent vraiment à ceux qui sont servis en Grèce.

- Pour un repas rapide, savoureux.
- Pour des souvenirs de Grèce.
- Pas cher.
- On peut aller manger sur place, en groupe.
- Adresse familiale de quartier.
- Le restaurant fait aussi la livraison gratuitement.

Ouvert le midi et le soir, tous les jours

654, rue Jean-Talon Ouest, Montréal
514 274-4371
www.villagegrec.restomenu.ca

Le Garde-manger italien

Ceci n'est pas un casse-croûte. C'est une épicerie où l'on s'arrête pour attraper un morceau de pizza, de la focaccia ou un calzone — pâte farcie —, et pour manger tout ça en lunch rapide sur la route, au bureau ou à la maison. Toujours fraîche, la pizza n'a rien de banal. Elle est garnie de rapini, d'épinards, de tomates évidemment. On en profite pour faire quelques courses à l'épicerie et pour manger une glace, ou pour prendre un espresso au café adjacent.

Cette épicerie compte aussi une sélection intéressante de fromages, dont la fameuse burrata, qui n'est offerte que quelques jours par semaine. On peut en outre acheter des pâtes et des sauces pour un repas rapide à la maison.

• Pour acheter quelque chose à manger sur le pouce.

• Pour acheter le souper.

• Pour faire les courses et trouver quelque chose pour assouvir immédiatement l'appétit d'un enfant après l'école...

Ouvert en journée, du mardi au dimanche
Fermé le lundi

6132, avenue de Monkland, Montréal
514 886-6601
www.gardemangeritalien.ca

Dépanneur Le Pick Up

Pionnier de la transformation du quartier Mile-Ex, le Dépanneur Le Pick Up ressemble à la fois à une adresse *hipster* on ne peut plus tendance et à un commerce authentique des années 50. C'est en fait un vieux dépanneur semi-transformé par une bande d'artistes qui ont réussi à l'ouvrir aux nouveaux venus du quartier et à garder la confiance de ceux qui le fréquentent depuis toujours. On y mange des sandwichs, des salades, des biscuits maison... Pour prendre un verre, par contre, on va à l'autre adresse des mêmes proprios : l'Alexandraplatz. Très *cool*, très populaire, très *indie*.

À surveiller : le site Internet du Dépanneur où l'équipe annonce ses projets et événements spéciaux, comme des ateliers sur l'art de découper un poulet ou des repas inédits avec des chefs invités.

- Pour un repas tout simple, pas cher et surprenant.

- Atmosphère très *cool*.

- Quelques tables à pique-nique installées à l'avant et à l'arrière du dépanneur permettent de manger *al fresco*.

- Pour manger et faire quelques courses très basiques de... dépanneur.

Ouvert le matin, le midi et le soir, tous les jours
Ferme tôt du dimanche au mardi

7032, rue Waverly, Montréal
514 271-8011
www.depanneurlepickup.com
www.alexandraplatzbar.com

Lapin pressé

Ce lieu est un des grands spécialistes montréalais du… *grilled-cheese*, ce sandwich passe-partout qu'on adorait quand on était enfant. Ici, ils sortent du gril, craquent sous la dent, dévoilant un cœur fondant, mais aussi des garnitures originales : poire et bleu, pomme et mimolette ou mozzarella, tomate et poivron. Le décor en bois est agréable, le lieu est convivial, on s'y attarde puisque le wifi est gratuit. Idéal pour aller prendre une bouchée pas compliquée avec la poussette.

En fait, il n'y a que le lapin qui est pressé dans ce petit troquet où il fait bon traîner.

- Pour un repas rapide de bonne qualité.
- Pour la soupe, les desserts maison.
- Excellent café.
- Pour les amateurs de *grilled-cheese*.

Ouvert en journée, tous les jours

1309, avenue Laurier Est, Montréal
514 903-3555

M : BRGR

Bœuf de Kobe, foie gras, portobellos… Vous l'aurez deviné, ceci n'est pas un casse-croûte habituel où l'on prépare les burgers avec les ingrédients traditionnels. Ici, les classiques de l'univers du fast-food nord-américain — hot dogs, poutines, macaroni au fromage, etc. — sont transportés à un tout autre niveau. Mon coup de cœur ? Les frites de patates douces, juste assez croustillantes. On accompagne le repas d'une bière ou d'un verre de vin, dans un décor moderne et une ambiance vivante.

Pour vous rassurer sur la qualité de la viande : les copropriétaires de ce restaurant sont aussi copropriétaires de Moishes, la célèbre grilladerie du boulevard Saint-Laurent.

- Pour un repas en famille, qui fera plaisir aux ados.
- Pour un repas du midi pas compliqué et intéressant, pour placoter avec un collègue.
- Décor moderne et allumé.
- Toutes sortes d'options pour les végétariens et pour ceux qui aiment les hamburgers sophistiqués.

$ ou $$

Ouvert le midi et le soir, tous les jours
Brunch le samedi et le dimanche

2025, rue Drummond, Montréal
514 906-0408
www.mbrgr.com

L'Anecdote

Les années passent, et l'Anecdote ne change pas. On s'y réfugie, surtout maintenant que La Paryse a tristement fermé ses portes. Ici, on se spécialise dans le bon hamburger et on a commencé à le faire bien avant que le rustique modernisé devienne à la mode. Burgers à l'agneau, au cerf, au poulet... On les garnit de toutes sortes d'ingrédients comme le guacamole, le fromage bleu, les champignons ou la mayonnaise maison épicée. Le matin, les petits-déjeuners sont préparés avec le même souci. On y va en famille. Parfois, il faut attendre pour avoir une place.

Le menu propose aussi des plats, et même un plat du jour, aux végétariens.

- Pour assouvir une envie de hamburger sans avoir l'impression de manger du *junk food*.

- Pour un repas rapide de qualité.

- On y va avec les enfants. Ils sont les bienvenus.

- Pour avoir l'air de faire une grosse faveur aux ados tout en se régalant soi-même.

 $

Ouvert le matin, le midi et le soir, tous les jours

801, rue Rachel Est, Montréal
514 526-7967

Mandy's

Depuis qu'il a ouvert à Westmount, ce microrestaurant spécialisé en salades cartonne. On y offre une multitude de compositions en tous genres. Avocats, laitues, tomates, concombres, haricots, œufs, bacon... La salade s'éclate, se trouve de nouvelles combinaisons fraîches. Malheureusement, tout ça est servi dans des pots de plastique. Utile si on veut emporter. Décevant si on mange sur place, notamment sur la petite terrasse ouverte pour les beaux jours. Une jolie addition au quartier.

Il y a aussi une succursale de Mandy's sur l'avenue Laurier Ouest, dans le Mile-End.

• Pour un lunch rapide, léger.

• Pour un repas à emporter.

• Pour assouvir une envie de fraîcheur, de légumes.

Ouvert le midi et le soir, du lundi au vendredi
Ouvert en journée, le samedi et le dimanche

5033, rue Sherbrooke Ouest, Montréal
514 227-1640

201, avenue Laurier Ouest, Montréal
514 670-7820

www.mandys.ca

SoupeSoup

Il y a maintenant de nombreuses succursales de cette chaîne sympathique lancée par Caroline Dumas. Ma préférée : celle qui est le plus près de mon bureau, dans le Vieux-Montréal, rue Wellington. J'aime le très grand espace, les plafonds hauts, les immenses fenêtres, les chaises des années 60 recyclées. Ma dernière soupe préférée : une crème froide, à la fois soyeuse et pimentée, à l'avocat et au citron vert. J'ai adoré aussi la salade quinoa et dinde. Un lieu tout simple. Fiable.

Il y a maintenant quatre adresses SoupeSoup à Montréal, du Vieux-Montréal au marché Jean-Talon.

- Pour un lunch rapide de qualité.

- Parfait pour les végétariens qui aiment les potages aux légumes et aux légumineuses.

- On peut manger en vitesse ou y traîner un peu. Et il y a du wifi.

$

Les heures d'ouverture varient selon les succursales.

649, rue Wellington, Montréal
514 759-1159

80, rue Duluth Est, Montréal
514 380-0880

2183, rue Crescent, Montréal
514 903-8628

7020, rue Casgrain, Montréal
514 903-2113

www.soupesoup.com

TA

Si vous allez sur le site Internet de ce mini-troquet, vous verrez la définition très claire de ce que la maison offre : cuisine rapide de la Nouvelle-Zélande et de l'Australie. Ici, ce qu'on vend, ce sont de petites tourtières de pâte feuilletée, remplies de toutes sortes de mélanges cosmopolites : chili con carne, *rogan josh* (un curry d'agneau), poulet au beurre, tomates et ricotta, bifteck et rognons à l'anglaise... Il y en a même au maquereau fumé. On est loin de nos tourtières, puisque le contenu est pas mal moins sec, et la pâte, beaucoup plus légère.

« *Ta* » signifie « *thank you* », en argot australien.

- Pour un petit lunch abordable, copieux, dans un endroit minuscule, mais joliment rétro.

- Pour se plonger dans les cultures australienne et néo-zélandaise.

- Pour fuir les lieux communs et se rappeler, peut-être, un voyage *down under*...

Ouvert le matin, le midi et le soir, tous les jours

4520, avenue du Parc, Montréal
514 277-7437
www.ta-pies.com

Vasco da Gama

Le Vasco da Gama est un autre petit frère du Ferreira Café et propose la version sur le pouce, de cette cuisine portugaise de qualité, à peine réinventée, qui est au cœur de la marque Ferreira. Ici, on sert quelques plats cuisinés, de savoureux sandwichs comme celui à l'agneau effiloché ou le burger poulet et chorizo, des pâtisseries à la portugaise en commençant par le très typique *pastel de nata*.

On peut prendre un lunch et l'emporter dans un parc ou au bureau, ou alors manger sur place et même boire un verre de vin.

- Un bon lunch sans chichi au centre-ville, qu'on soit là pour le travail ou le shopping.
- Pour un bon repas à emporter.
- Pour un lunch rapide avec un collègue, pas beaucoup plus, les tables sont plutôt petites.
- On y va un peu après l'heure de pointe du midi pour être sûr d'avoir une table.

$

Ouvert le matin et le midi, tous les jours
Ouvert le soir, du lundi au vendredi
Ferme tôt en soirée le samedi et le dimanche

1472, rue Peel, Montréal
514 286-2688
www.vascodagama.ca

Banh-mi Cao-Thang

Ceci n'est pas un endroit pour s'asseoir, mais bien pour attraper un sandwich vietnamien qu'on ira manger au bureau s'il fait gris, au Vieux-Port ou au parc s'il fait beau. Ici, les sandwichs sont typiquement vietnamiens, soit faits de baguette — coutume héritée du temps des colonies françaises en Indochine — et de garnitures à la viande — poulet, porc — pimentée, grillée, relevée. On demande de la coriandre en extra, parce que c'est toujours bon.

On peut aussi acheter des rouleaux printaniers et d'autres spécialités vietnamiennes déjà préparées. Les sandwichs, eux, sont faits minute.

• Un bon sandwich rapide, à tout petit prix.

• Ne pas se gêner pour demander plus de coriandre ou de piment fort, c'est ce qui donne toute sa personnalité au *banh-mi*.

 $

Ouvert le matin et le midi, tous les jours
Ferme tôt en soirée

1082, boulevard Saint-Laurent, Montréal
514 392-0097

L'Échoppe des fromages

Bien des Montréalais envient les résidants de Saint-Lambert pour leur fromagerie de quartier, L'Échoppe des fromages. Ici, on aime le fromage, tous les fromages, et la section casse-croûte, à l'arrière de la boutique, est là pour nous les faire goûter. Salades, sandwichs, plateaux… Que vous soyez amateurs de pâtes fermes, de fromages de brebis ou au lait cru, de fromages québécois ou européens, vous serez comblés. Et les gens qui le vendent savent de quoi ils parlent.

Il y a aussi quelques étagères d'épicerie où on propose des produits fins, notamment des huiles, des champignons sauvages, etc.

- Un rendez-vous pour les amoureux du fromage, qui ont envie de parler fromage.
- Petite épicerie fine à l'avant de la boutique. Les trouvailles y sont nombreuses.
- Pour un lunch rapide de qualité à Saint-Lambert.

Ouvert le matin et le midi, tous les jours
Ouvert le soir, le jeudi et le vendredi

12, rue Aberdeen, Saint-Lambert
450 672-9701
www.lechoppedesfromages.com

157

Histoire de pâtes

Ce commerce est d'abord et avant tout un marchand de pâtes fraîches, artisanales, faites sur place, qui décline son savoir-faire en toutes sortes de formes et de saveurs. Fettucines, cannellonis, raviolis, tortellinis. On achète les pâtes, on achète la sauce. On achète des plats congelés. Quelques biscuits. On reste toujours dans le registre italien, de grande qualité. Prix en conséquence.

Il y a quelques tables pour manger sur place, le midi.

- Pour préparer un repas de pâtes, on achète tout sur place.

- Comme il y a à la fois une épicerie et un prêt-à-manger, on profite des courses pour prendre une bouchée, ou alors on prend une bouchée et on en profite pour faire quelques achats...

Ouvert le matin et le midi, tous les jours
Ouvert en soirée, le jeudi et le vendredi
Fermé le dimanche

458, rue Victoria, Saint-Lambert
450 671-5200
www.histoiredepates.com

Chez Vincenzo

Installé depuis peu dans Villeray, juste devant Tapeo, ce glacier propose des *gelati* artisanaux à l'italienne. Noisette, Toblerone, nougat, stracciatella… Vous voyez les genres de parfums. Très italiens, très riches, souvent chocolatés, pralinés… Difficile de ne pas aimer. Surtout que tout est fait sur place par Vincenzo Vinci lui-même – le nouveau mari de l'adorable animatrice Julie St-Pierre, pour ceux qui veulent tout savoir –, qui est allé apprendre cet art en Italie, à l'école et chez un glacier de Calabre, d'où est originaire sa famille. On peut aussi y prendre un café. Et même un sandwich.

Ici, les glaces sont faites maison, mais les croissants viennent de La Cornetteria, une autre de mes adresses préférées.

- Pour prendre une glace, avec ou sans enfant.

- Pour boire un café.

- Pour un lunch rapide.

- Pour une pause en après-midi.

- Pour surprendre une flamme éprise de tout ce qui est italien.

Ouvert le matin, le midi et le soir, du mardi au dimanche
Fermé le lundi

500, rue Villeray, Montréal
514 508-5031
www.chezvincenzo.com

La Cornetteria

J'aime La Cornetteria d'amour depuis déjà plusieurs années, surtout à cause des *cornetti,* ces croissants à l'italienne qui nous donnent vraiment l'impression d'être en voyage au pays du Barolo et du *gianduja*. Mais cette année, je l'ai redécouverte, car c'est l'un des premiers endroits à Montréal qui a décidé de suivre la folie de ce que les Américains appellent le *cro-nut*, un hybride entre le croissant et le beignet (*donut* en anglais). Comme le nom est déposé, La Cornetteria a inventé le sien : *cronetto*, ou *cronetti* au pluriel. Cette pâtisserie est à la fois frite et feuilletée. Fourrée à la crème. Garnie de glaçage. Hautement décadente. Est-ce que cette invention mérite toute la publicité qu'on lui a faite ? Je ne crois pas. Mais c'est amusant. Et il y a toujours les *cornetti* et les *cannoli*.

Il n'y a pas que des desserts. On peut aussi manger un sandwich ou prendre un café à La Cornetteria.

- Pour une pause café-croissant très italienne.

- On peut commander et emporter toute une boîte de *cornetti* au bureau pour un petit-déjeuner de travail, ou alors à une fête matinale.

- On peut aussi emporter des *cronetti*, mais il y a une limite de deux par personne !

- Pour un goûter d'après-midi.

Ouvert en journée, tous les jours

6528, boulevard Saint-Laurent, Montréal
514 277-8030
www.lacornetteria.com

Kem CoBa

L'an dernier, je vous ai dit que cet endroit était mon coup de cœur du moment ; il l'est encore ! Ce petit comptoir du Mile-End, avenue Fairmount, tenu par un couple de pâtissiers — elle d'ici, Ngoc, diplômée de l'Institut de tourisme et d'hôtellerie ; lui, Vincent, venu de France —, est tout simplement trop original, trop charmant pour qu'on s'en lasse. Du sorbet à la bergamote à la glace miel et fleur d'oranger, tout me plaît. Les parfums sont exotiques, surprenants, réussis. Tout est préparé avec des produits naturels. Les textures sont divines.

Tant pis s'il y a une longue file d'attente. C'est signe que c'est bon, qu'il y a du roulement, donc que la glace sera bien fraîche.

- Pour une bonne glace naturelle, servie par des gens sympathiques.
- Pour des parfums qui sortent réellement des sentiers battus.

Ouvert le midi et le soir, du mardi au dimanche

60, avenue Fairmount Ouest, Montréal
514 419-1699
kemcoba.com

De farine et d'eau fraîche

La propriétaire de cette adorable pâtisserie de la rue Amherst, Marilu Gunji, est une inconditionnelle avouée de tout ce qui touche l'époque victorienne. Tout l'esprit des lieux est donc très féminin et coquet. Et, dans l'assiette aussi, on joue dans le registre britannique, anglo-saxon plus que français, avec des gâteaux aux carottes ou au fromage et des roulés à la cannelle absolument divins. Le point fort de toutes ces créations sucrées : elles sont aussi belles que bonnes.

On peut s'arrêter pour luncher dans ce joli café aux airs de salon de thé, avec soupe, salade, etc. Mais ce sont surtout les desserts qui nous ravissent.

- Pour un lunch frais avec une copine qui a la dent sucrée.
- Pour une pause dessert en plein après-midi.
- Pour acheter un très joli et bon gâteau à emporter.
- Pour acheter un petit cadeau d'hôtesse : biscuits, caramels.

$ et $$

Ouvert en journée, tous les jours

1701, rue Amherst, Montréal
514 522-2777
www.dfef.ca

Pâtisserie Rhubarbe

On peut maintenant bruncher dans cette adorable pâtisserie du Plateau-Mont-Royal. Gaufres pistaches, mûres, bleuets, crème citron. Bulles au sirop de framboise maison. Flans, moelleux, glaces, cakes… Il n'y a pas grand-chose qui déçoit dans ce temple voué au sucre, au chocolat, aux parfums de fruits, aux épices variées. On y va pour petit-déjeuner, pour acheter un gâteau, pour manger une glace, pour s'arrêter en plein milieu de la journée et prendre le temps de déguster. Miam.

Pour une fête, un mariage, un événement spécial, on commande le gâteau à l'avance. Même ceux qui se dégustent en parts individuelles peuvent être offerts en grand format.

- Pour un gâteau ou des pâtisseries individuelles à emporter.

- Pour le brunch.

- Pour une pause sucrée en après-midi.

- Pour acheter quelques biscuits et confitures.

- On y va avec les enfants, évidemment !

$ et $$

Ouvert en journée, du mercredi au dimanche
Brunch le dimanche
Fermé le lundi et le mardi

5091, rue de Lanaudière, Montréal
514 903-3395
www.patisserierhubarbe.com

Les Givrés

Si vous vous rendez dans ce repaire d'amateurs de glaces, vous apercevrez dans l'entrée la machine à fabriquer les cornets, reliée par un tube transparent au comptoir de glaces. Astucieux et amusant. Car, ici, on fait tout sur place. Les cornets, la crème glacée, le praliné… Lancé en 2011 par 3 compagnons, ce petit bar laitier n'utilise que des produits non transformés, pas nécessairement bio, mais le plus souvent possible, et au moins naturels. Le caramel, c'est du sucre fondu avec de la crème. La sauce au chocolat, ce sont des pastilles de cacao fondues, de la crème… Résultat, des glaces et des sundaes qui goûtent vrai.

On peut acheter de la pâte à biscuit pour faire cuire des biscuits à la maison ou pour la manger toute crue !

- Pour une bonne glace naturelle, avec les enfants.
- Pour un dessert de fin de soirée en groupe.
- On peut aussi acheter des gâteaux glacés et des contenants de crème glacée à emporter.
- Pour prendre une glace en amoureux.

$

Ouvert le midi et le soir, tous les jours

3807, rue Saint-Denis, Montréal
514 373-7558
www.lesgivres.ca

Le Bar à chocolat

Le Bar à chocolat de Geneviève Grandbois est en soi une bonne raison de s'arrêter au centre commercial géant Dix30. C'est une coquille toute vitrée, lumineuse, où l'on peut trouver tous les produits Geneviève Grandbois, comme les tablettes de chocolat ou les bonbons fourrés à la ganache, dont mes préférés aux épices chai, à la badiane et au caramel à la fleur de sel. En plus, on peut s'y asseoir pour causer chocolat et... prendre un chocolat. Un chocolat chaud à boire ou alors un chocolat à manger, sous forme de gâteaux, brownies, biscuits, avec un café. Ici, le chocolat chaud est riche, épais, crémeux, comme en Espagne ou en Italie.

Geneviève Grandbois aime tellement le chocolat qu'elle s'est acheté une plantation de cacaotiers au Costa Rica !

• Pour un bon chocolat chaud en hiver.

• Pour aller chercher des chocolats à offrir à Noël ou à Pâques.

• On y va avec les enfants ou des copines, après une séance de shopping, avant un spectacle... Ou on fait le détour exprès.

• Le caramel au beurre salé, vendu en pot, est aussi délicieux.

Ouvert en journée, tous les jours
Ouvert en soirée, le jeudi et le vendredi

Quartier Dix30
Place Extasia
9389, boulevard Leduc, Brossard
450 462-7807
www.chocolatsgg.com

Mamie Clafoutis

Ici, tout a l'air bon. Les pains aux 1000 saveurs, les pâtisseries un peu rustiques, les viennoiseries. Et quand on entre, on sent l'odeur de la farine et du beurre, comme dans ces boulangeries françaises où l'on va chercher baguettes et croissants. On peut aussi acheter de quoi luncher, comme un sandwich, une petite quiche… On prend le tout pour emporter. Ou alors on mange dans le salon de thé. De belles adresses, autant pour les courses que pour faire une pause.

Il y a maintenant une troisième succursale de Mamie Clafoutis, à L'Île-des-Sœurs, sur le chemin de la Pointe-Nord.

- Pour acheter du pain ou de la brioche.

- Pour un en-cas en après-midi.

- Ne pas oublier de prendre un numéro en entrant. C'est souvent bondé, mais le service est très efficace.

- Pour attraper un sandwich ou tout autre petit lunch rapide.

Ouvert en journée, tous les jours

1291, avenue Van Horne, Montréal
514 750-7245

3660, rue Saint-Denis, Montréal
438 380-5624

105, chemin de la Pointe-Nord, L'Île-des-Sœurs
514 508-8800

www.mamieclafoutis.com

Havre-aux-Glaces

« Une des meilleures glaces que j'ai mangées de ma vie », m'a récemment écrit une amie danoise après que je l'ai envoyée prendre un cornet au comptoir Havre-aux-Glaces du marché Atwater. Pas mal, non ? Avec son immense terrasse aux abords du canal Lachine et sa vue sur la ville illuminée le soir, le Havre-aux-Glaces Atwater est l'une de mes adresses chouchous. Mais celui du marché Jean-Talon est pas mal aussi. Les glaces sont les mêmes. Caramel brûlé, nougat, citron... On s'y arrête en faisant les courses. On n'est jamais déçu.

On peut aussi apporter la glace à la maison puisqu'elle est vendue en pot.

- Un des meilleurs glaciers de la métropole. Parfums originaux.

- Pour une glace au bord de l'eau en regardant la ville illuminée. Charmant en famille.

- Hyper romantique à deux.

- Pour une pause pendant les courses au marché Jean-Talon ou au marché Atwater.

Ouvert le jour et le soir, l'été
Ouvert le reste de l'année, selon l'horaire du marché

Marché Jean-Talon
7070, rue Henri-Julien, Montréal
514 278-8696

Marché Atwater
138, avenue Atwater, Montréal
514 278-8696

Saint-Henri
micro-torréfacteur

Si vous me demandez où l'on boit le meilleur café à Montréal, je vous répondrai que j'ai un faible pour le Saint-Henri. Il y a maintenant plusieurs cafés où l'on sait préparer cette boisson chaude convenablement, avec de bons grains et une technique soignée, mais Jean-François Leduc, le fondateur de cette maison de torréfaction, a vraiment été l'un des premiers à apporter à Montréal une nouvelle culture du café, post-Starbucks. Et sa maison continue de se démarquer, notamment parce que le café est toujours bien préparé, peu importe le barista.

J'aime bien le décor très Brooklyn, très Berlin de cette maison de café, entre autres les bancs d'église sympathiques et le wifi super fiable.

- Pour un vrai bon café, toujours bien fait.
- Pour les brioches à la cannelle de la boulangerie Sweet Lee's de Saint-Henri.
- Pour acheter des grains bio, équitables, fraîchement torréfiés.
- Pour travailler une heure ou deux, avec wifi.
- Les enfants adorent le chocolat chaud.

Ouvert le matin, le midi et le soir, tous les jours

3632, rue Notre-Dame Ouest, Montréal
514 507-9696
www.sainthenri.ca

Melk

Enfin, il y a une alternative aux grandes chaînes de café sur l'avenue de Monkland, le Melk, une nouvelle petite adresse sympathique où l'on sert le très bon café de la maison 49th Parallel de Vancouver. Il était temps. Ici, le menu est simple. Il y a du café, du café et du café. Quelques boissons fraîches aussi, notamment les sodas Boylan. Des biscuits, muffins et autres confections maison, dont certains sans gluten. Rien de compliqué, mais bien fait. Et on vend des grains de café.

La maison est tenue par Dominique Jacques, un ancien d'Arts Café, et Myriam Asselin. C'est elle qui fait les muffins, sur place, ainsi que des biscuits pour chien tout naturels !

- Pour un bon café à Notre-Dame-de-Grâce, chose rare.

- Pour acheter des bons grains de café à Notre-Dame-de-Grâce, chose difficile.

- En semaine, la maison ouvre à 7 h et ferme à 22 h. Pratique.

$

Ouvert le matin, le midi et le soir, tous les jours
Ferme tôt, en soirée, le samedi et le dimanche

5612, avenue de Monkland, Montréal
514 508-5789

Pikolo

Minuscule, sur le long comme un couloir, mais avec une jolie et une petite mezzanine, le Pikolo est une des bonnes adresses de café de la troisième vague à Montréal. Le café y est toujours bon, bien fait. Et la sélection de viennoiseries artisanales aussi. On se sent, dans ce lieu un peu postindustriel recyclé, comme si on était à New York, Portland ou Seattle.

En semaine, le café ouvre à 7 h, donc on peut y aller avant le boulot. Intéressant pour ceux qui travaillent au centre-ville juste à côté. Et c'est à deux pas du Quartier des spectacles et de l'Université McGill.

• Pour un bon café.

• On n'y va pas en grand groupe, car c'est tout petit, mais sympa pour un café avec un copain.

• Pour un petit-déjeuner très simple.

Ouvert en journée, tous les jours

3418 B, avenue du Parc, Montréal
514 508-6800

Café Névé

Ce que j'aime du café Névé, c'est que c'est un des rares cafés de la troisième vague où l'on peut non seulement prendre un très bon café, mais aussi manger quelque chose qui ressemble à un vrai repas. Sandwich poulet grillé-bacon-avocat, *wraps*, salades, soupe à l'oignon gratinée… On adore les biscuits faits sur place, qu'on attrape quand ils viennent à peine de sortir du four. Et le chocolat chaud, préparé soigneusement, riche à souhait.

Ici, on utilise les grains de café du torréfacteur indépendant et artisanal Metropolis de Chicago.

- Pour traîner devant l'ordinateur en buvant du bon café.

- Pour un lunch léger et savoureux, et du bon café.

- Pour les biscuits quand ils sortent du four.

- L'ai-je dit ? Pour boire du bon café.

$

Ouvert le matin, le midi et le soir, tous les jours

151, rue Rachel Est, Montréal
514 903-9294
cafeneve.com

Flocon Espresso

J'adore l'ambiance très bois blond, rétro, *shabby* chic de ce minuscule lieu où sont intégrés des objets recyclés et récupérés, comme ces lampes faites de pots en verre et l'ancienne radio des années 30 devenue comptoir pour le lait, le sucre, etc. Le petit frère du Café Névé, avenue du Mont-Royal, près de Saint-Hubert, sait lui aussi très bien préparer le café. De l'espresso, évidemment, mais également du café filtré à froid.

On y va pour un petit-déjeuner à l'italienne vite fait, avec cappuccino et croissants maison du Névé, le grand frère du Flocon.

- Pour un bon café, bien préparé.
- La maison sert aussi des thés de grande qualité.
- L'endroit est connu pour ses énormes biscuits.

 $

Ouvert en journée, tous les jours

781, avenue du Mont-Royal Est, Montréal
514 903-9994
www.floconsespresso.com

Caffè In Gamba

Caffè in Gamba est un pionnier. Pionnier de l'arrivée du café de la troisième vague à Montréal. Pionnier de la renaissance de cette partie de l'avenue du Parc, aujourd'hui, joyeusement intégrée dans le quartier *hipster* du Mile-End. Au In Gamba, on sert du café de petites maisons de torréfaction indépendantes. Et on le prépare bien. Cappuccino, macchiato, latte, etc. Décor un peu éclectique, aux airs un peu italiens, un peu viennois. Et on peut y lire les journaux, *La Presse*, *Le Devoir*, version papier...

Ma fille fait dire que le chocolat chaud est aussi vraiment bon.

• Pour un bon café à boire sur place ou à emporter.

• Jolie terrasse.

• Il y a aussi croissants et sandwichs.

$

Ouvert, le matin, le midi et le soir, tous les jours

5263, avenue du Parc, Montréal
514 656-6852
www.caffeingamba.com

Café Myriade

Je fais un détour, quand je suis près du centre-ville, pour aller chercher un café au Myriade, un lieu toujours plein, toujours très vivant, où le café est toujours pris au sérieux. Le proprio, Anthony Benda, est du genre à nous tenir au courant de ses arrivages de grains sur Twitter. On aime les cappuccino, latte, etc., mais aussi les cafés filtres ou alors préparés avec le système danois Eva Solo. Un lieu pour s'amuser, explorer l'univers du café.

Le Myriade vend toutes sortes de cafetières pour préparer de l'espresso, du café filtre, etc.

- Pour prendre un excellent café préparé par de très grands amateurs, pardon, professionnels du café.
- À deux pas de l'Université Concordia, en plein centre-ville.
- On peut y acheter du café en grains.

Ouvert en journée, tous les jours

1432, rue Mackay, Montréal
514 939-1717
www.cafemyriade.com

Jonah James

Le Jonah James est un casse-croûte joliment décoré façon rétro, où l'on sert de délicieux cafés préparés avec une mouture de qualité. Côté menu, on offre des salades et des sandwichs, ainsi que des viennoiseries de la maison Arhoma. L'été, une belle terrasse permet de manger à l'extérieur le midi ou de flâner avec un cappuccino le matin, en regardant les gens passer. Agréable.

Il y en a qui adorent les grandes chaînes de café, style Starbucks. Moi, je préfère les petits indépendants, comme le Jonah James, qui préparent du café plus serré, avec un peu plus de soin et de meilleurs grains.

- Pour un café et une viennoiserie.
- Pour le lunch.
- On adore la petite terrasse.

Ouvert en journée, tous les jours

5100, rue Sherbrooke Ouest, Montréal
514 507-3047

RESTOS DE QUARTIER

HOCHELAGA-MAISONNEUVE
178

PLATEAU-MONT-ROYAL
179

SAINT-LAMBERT
180

MILE-END
181

SNOWDON
182

AHUNTSIC
183

BOUCHERVILLE
184

QUARTIER CHINOIS DE L'OUEST DU CENTRE-VILLE
185

ROSEMONT
186

SAINT-HENRI
187

SAINTE-THÉRÈSE
188

TERREBONNE
189

VIEUX-MONTRÉAL
190

WESTMOUNT
191

Le Chasseur

Voilà des années qu'on entend dire que Hochelaga-Maisonneuve est le prochain Plateau. Des années qu'on attend cette transformation, qui se fait, en réalité, au compte-gouttes. Pour le mieux. Qui tient encore à ce que les quartiers se banalisent à grande vitesse ? Le Chasseur est un restaurant de quartier abordable et allumé, qui devient bar après 22 h. Aux fourneaux, on trouve deux chefs : Laurence Frenette, finaliste à l'émission *Les chefs* en 2011, et Jean-Philippe Matheussen, un ancien de M sur Masson. Ensemble, ils travaillent dans un écrin un peu bar, un peu bistro et servent des plats de taille moyenne qui se combinent sans ordre particulier. Croquettes de moelle au cœur fondant, tataki de bison, rillettes d'esturgeon… Cuisine généreuse et remplie de bonne volonté.

On est à Hochelaga-Maisonneuve, pas à New York. Les prix sont ici totalement adaptés au quartier, donc plus que raisonnables.

- Pour manger et voir du monde.
- Une des bonnes adresses si on est dans ce quartier.
- Pour prendre un verre et une bouchée.
- Pour un souper de filles ou de gars ; bref, pour un repas entre amis.

$$

Ouvert le soir, du mardi au dimanche
Fermé le lundi

3882, rue Ontario Est, Montréal
514 419-2141
www.barlechasseur.com

Renard artisan bistro

Il y a tellement de bons restaurants sur le Plateau que certains passent inaperçus, comme ce Renard artisan bistro, installé avenue du Mont-Royal, est là où était jadis le Cinquième Péché. Piloté par le chef Jason Nelsons, ce lieu a des airs un peu rustiques, presque années 70 post-hippies, avec ses objets décoratifs de métal repoussé. Le menu, écrit à l'ardoise, propose une cuisine réconfortante, chaleureuse, faite à partir de produits d'ici. Raviolis de joue de bœuf, charcuteries de loup-marin, crème de tomate fumée... Un restaurant de quartier très agréablement dépourvu de toute prétention. Et où l'on s'entend parler.

Écrite sur un tableau noir, la carte des vins est remplie de trouvailles à prix variés, dont la presque totalité est offerte au verre. Intéressant.

- Pour un repas tranquille, en tête-à-tête.
- Pour manger du loup-marin, viande rare à Montréal.
- Pour un petit repas du mercredi soir pas compliqué.
- Si on a envie d'être sur le Plateau, mais à l'écart des lieux à la mode.

$$

Ouvert le soir, du mardi au samedi
Fermé le dimanche et le lundi

330, avenue du Mont-Royal Est, Montréal
514 508-2728
www.renardbistro.ca

Primi Piatti

Saint-Lambert est une ville de banlieue qui a de quoi faire des jaloux. Maisons centenaires et grands jardins coquets. Arbres qui lui donnent presque des airs de Nouvelle-Angleterre universitaire. Saint-Lambert compte aussi quelques bons restaurants dont Primi Piatti, qui propose une cuisine bien faite. Poulpe grillé, mozzarella di buffala, pizza, risotto. Les classiques italiens sont au rendez-vous, préparés soigneusement, malgré parfois quelques excès d'huile de truffe. On aime aussi la carte des vins qui contient beaucoup de crus du pays du Barolo et du chianti, dont une grande partie est offerte au verre.

Nappes blanches, cellier vitré, fauteuils rembourrés. Le décor est cossu, passe-partout ; un univers un peu hôtelier.

• Pour une table de quartier.

• Pour une cuisine bien faite avec de bons produits.

• Pour la pizza, cuite au four à bois.

• Il ne faut pas oublier de réserver.

##

Ouvert le midi, du lundi au vendredi
Ouvert le soir, tous les jours

47, rue Green, Saint-Lambert
450 671-0080
www.primipiatti.ca

Mythos

J'aime beaucoup l'avenue du Parc et ses restaurants grecs, que je fréquente depuis quelques décennies maintenant. Milos est évidemment un phare, avec ses poissons ultra-frais. Mais il y a aussi Mythos, de l'autre côté de la rue, qui se défend très bien avec des prix plus raisonnables. Ici, les aubergines et les courgettes frites sont particulièrement bien préparées. J'apprécie aussi les poissons grillés, un classique. Et même les côtelettes d'agneau. Les clichés grecs comme on les aime. Surtout sur la terrasse l'été.

La carte des vins propose plusieurs bonnes bouteilles grecques, dont des vins faits à base d'assyrtiko, un cépage blanc qu'on retrouve dans les Cyclades à Santorin. À essayer.

- Pour manger sur la terrasse.

- Pour le poisson grillé.

- En tête-à-tête ou en petit groupe d'amis.

- Grandes salles à l'intérieur pour groupes plus nombreux.

$$

Ouvert le midi, du dimanche au vendredi
Ouvert le soir, tous les jours

5318, avenue du Parc, Montréal
514 270-0235
www.mythos.ca

Deli Snowdon

Le Deli Snowdon, ou Snowdon Del' comme l'appellent les habitués, est l'une des adresses montréalaises cruciales quand vient le temps de parler de smoked meat. Le restaurant n'a pas le charme vieillot des commerces restés à leur état premier, puisqu'il a été rénové dans les années 90. Mais l'atmosphère n'a pas changé, pas plus que le menu ni la viande fumée, tendre à souhait, surtout si on la commande *medium*, pas maigre. On peut aussi y acheter de la viande fumée à emporter ou même des sandwichs de fête au pain de mie, sans croûte, aux œufs ou au poulet. Un autre classique.

Un jeune Montréalais, Corey Shapiro, s'est inspiré de ce restaurant pour lancer une gamme de grosses lunettes, comme celles portées par les hommes d'affaires prospères qu'il y croisait dans les années 80 avec son grand-père !

- Plus d'espace que chez Schwartz's.
- Déconseillé pour un rendez-vous romantique, vu les néons. Mais excellente adresse pour *hipsters* en quête de moments décalés.
- Excellent smoked meat. Et soupe au *matzoh*.

 $

Ouvert le matin et le midi, tous les jours
Ferme tôt en soirée

5265, boulevard Décarie, Montréal
514 488-9129
www.delisnowdon.ca

Le St-Urbain

Convivial, chaleureux, le St-Urbain propose une riche cuisine du marché, qui nous charme par sa générosité. À ne pas manquer quand ils passent : le crabe à carapace molle frit, l'agneau braisé, les poissons dont on sait qu'ils seront écologiquement corrects puisque le St-Urbain a été l'un des premiers à Montréal à adhérer au programme Oceanwise, qui aide les restaurants à servir uniquement des produits de la mer durables. La carte est écrite sur un tableau noir, car le menu n'a rien de fixe et suit les saisons et les arrivages. Carte des vins remplie d'importations privées, à prix raisonnables, intéressantes. Plusieurs possibilités au verre.

On peut choisir le menu dégustation avec un accord mets et vins au verre, sur mesure.

- Restaurant de quartier agréable.

- Il y a une terrasse.

- Atmosphère animée, lieu assez bruyant.

- On peut y aller autant pour un tête-à-tête qu'avec des amis ou la famille.

- Pour être sûr de manger du poisson écologiquement correct.

$$

Ouvert le midi, du mardi au vendredi
Ouvert le soir, du mardi au samedi
Fermé le dimanche et le lundi

96, rue Fleury Ouest, Montréal
514 504-7700
www.lesturbain.com

Le Comptoir gourmand

Ici, on peut faire les courses pour cuisiner à la maison, on peut aussi acheter des repas à emporter — Parmentier pour souper ? — ou alors carrément manger sur place des plats de cuisine française traditionnelle de bistro. On aime les braisés, les salades, les charcuteries. Installé dans un petit complexe commercial de la rue Lionel-Daunais où sont regroupés plusieurs établissements, le lieu est dégagé, moderne. La sélection de chocolats est intéressante. Et l'accueil est sympathique.

Ce petit complexe commercial est situé dans la partie plus récente de Boucherville, pas très loin du Ikea.

- Pour manger sur place le midi ou en début de soirée.
- Pour un lunch d'affaires dans ce coin.
- Pour emporter le souper à la maison.
- Pour amateurs de bonne cuisine française.

$ ou $$

Ouvert en journée, tous les jours
Ferme tôt en soirée

1052, rue Lionel-Daunais, Boucherville
450 645-1414

La Maison du nord (Bei Fang)

Ce restaurant ne fait pas l'unanimité, mais je continue de croire que c'est une adresse unique, réellement intéressante. L'univers est sans décoration, sans chichi. Le seul charme du lieu est dans l'assiette : les nouilles faites à la main, au bœuf et au concombre, servies tièdes, piquantes, vinaigrées, salées et pleines de rebondissements en bouche… Le sandwich au porc émincé et à la coriandre, version chinoise du panini, copieux, réconfortant sort totalement des sentiers battus chinois qu'on connaît… Pour le lunch, pour deux, on s'en tire aisément à une vingtaine de dollars. Vaut la peine d'être essayé.

Ici, non seulement les prix sont bas, mais les portions sont gigantesques. On partage tout.

- Pour un repas pas cher.

- Pour préparer un voyage en Chine ou assoupir une crise de nostalgie chinoise.

- Pour un lunch aventurier. Avis aux âmes sensibles.

- Si vous voulez vous exercer à parler mandarin.

$

Ouvert le midi et le soir, tous les jours

2130, rue Saint-Mathieu, Montréal
514 670-3188

M sur Masson

Bavette, foie de veau, cuisse de lapin rôtie… Ce restaurant se spécialise dans les bonnes assiettes, costaudes, remplies d'une cuisine d'inspiration française, de type bistro. Le chef Maxime Vadnais essaie en outre de travailler le plus possible les produits régionaux, même si les profiteroles sont à la fleur d'oranger et au caramel, et qu'un ananas caramélisé au rhum agricole se glisse sur la carte des desserts. Y a-t-il quelqu'un pour s'en plaindre ?

La maison offre aussi un service de traiteur.

- Pour de la cuisine française classique.
- Pour le brunch le dimanche.
- Un bon restaurant dans un quartier qui bouge.
- Pour un tête-à-tête impromptu ou un souper de gars.

$$ et $$$

Ouvert le midi, du mardi au vendredi
Ouvert le soir, du mardi au samedi
Brunch le dimanche
Fermé le lundi

2876, rue Masson, Montréal
514 678-2999

Tuck Shop

On ne va pas au Tuck Shop pour un petit repas d'amoureux discrets, même si on a l'impression d'être dans un coin perdu de la ville. Saint-Henri bouge, se transforme. Ici, il y a de l'atmosphère, des décibels. Le menu change au gré des arrivages du marché et fait donc une belle place aux produits régionaux. Flétan, flanc de porc, fleurs de courgette… C'est savoureux. Généreux. Sans chichi.

Les amateurs de fromage apprécieront la sélection de produits du Québec qu'on peut choisir pour clore le repas.

- Pour un repas en couple ou avec des amis, mais grand nombre de décibels.

- On peut y aller seul et on mange alors au bar.

- Une bonne adresse pour les résidants des quartiers ouest, qui ne veulent pas toujours aller dans le Vieux-Montréal ou le Mile-End.

Ouvert le soir, du mardi au samedi
Fermé le dimanche et le lundi

4662, rue Notre-Dame Ouest, Montréal
514 439-7432
www.tuckshop.ca

Campagna

Menu varié, produits régionaux… Le Campagna est une adresse accueillante et raffinée, idéale pour les habitants de la couronne nord, qui ne veulent pas toujours faire le voyage jusqu'en ville pour manger une cuisine italienne bien faite, incluant pâtes, risotto et pizzas, mais aussi des plats comme un carpaccio de canard ou des médaillons de veau de lait au prosciutto. La carte des vins propose plusieurs importations privées et une jolie sélection italienne.

On aime la terrasse pour manger *al fresco* quand les beaux jours reviennent.

- On emmène son amoureux pour une petite soirée sympa sans enfants.
- Table indépendante et intéressante dans le vieux Sainte-Thérèse.
- On y va aussi pour le lunch.

$$

Ouvert le midi, du mardi au vendredi
Ouvert le soir, du mercredi au samedi
Fermé le dimanche et le lundi

26, rue Turgeon, Sainte-Thérèse
450 818-1008
www.campagna.ca

Au Just Thaï

J'ai un gros faible pour la cuisine thaïe. Je crois que je l'ai déjà dit. Les gens de Terrebonne sont chanceux. Dans l'un de leurs petits centres commerciaux, ils ont ce restaurant tout à fait honnête, même franchement bon et sympathique. D'ailleurs, il ne faut surtout pas oublier de réserver. C'est souvent plein. Au menu : currys, soupes au lait de coco, bouchées frites, salades acidulées au citron vert et à la coriandre fraîche… Bref, les classiques allumés de la Thaïlande. À essayer en hiver, quand on a envie de partir dans le sud.

Malheureusement, les plats ne sont pas aussi pimentés qu'en Thaïlande. On les a adaptés pour les palais d'ici. Mais on peut demander de les relever un peu…

- Pour un repas ensoleillé, par un petit mardi ennuyeux de novembre ou de janvier.
- On y va avec une copine. Ou en amoureux.
- Ce n'est pas une chaîne. En banlieue, on aime.
- Prix raisonnables.

$ et $$

Ouvert le midi, du mardi au vendredi
Ouvert le soir, du mardi au dimanche
Fermé le lundi

1265, boulevard des Seigneurs, Terrebonne
450 492-8883
www.just-thai.com

Titanic

Les légumes travaillés, donc préparés avec des épices et des techniques hors normes, soignés, non pas comme s'ils n'étaient que des accompagnements, mais bien des mets en soi, font partie des grandes tendances du moment. Pourtant, il y a un restaurant qui propose des antipasti tout légumes depuis des années et des années. C'est Titanic, dans le Vieux-Montréal. On adore les aubergines grillées à la sauce barbecue, les carottes rôties, les choux-fleurs grillés. Un peu cher, mais unique. La maison offre aussi plats chauds, soupes tout réconfort et sandwichs.

On trouve au Titanic un gâteau aux carottes dont j'ose dire qu'il est le meilleur à Montréal. Et je ne vous parle pas du gâteau au chocolat du chef Patrick Mausette, qui s'est retrouvé dans le premier livre de cuisine de Josée di Stasio.

• Pour un lunch pas compliqué, mais bon.

• Pour un repas tout légumes.

• Pour les gâteaux.

• Pour les soupes.

• L'attente peut être longue quand on commande pour emporter, donc vaut mieux appeler avant.

$

Ouvert le matin et le midi, du lundi au vendredi
Fermé le samedi et le dimanche

445, rue Saint-Pierre, Montréal
514 849-0894
www.titanicmontreal.com

Brasserie Central

Ce beau restaurant moderne et actuel de Westmount s'est cherché un peu durant sa première année, mais il semble avoir trouvé sa voie. On y va pour la terrasse, pour le décor de bistro agréable, pour manger seul au bar, pour les huîtres, pour le jambon serrano, pour le steak frites... On y va parce que l'atmosphère est sympathique qu'on peut prendre une bouchée pas compliquée, parce que c'est le restaurant de quartier de qualité, qui manquait désespérément sur ce tronçon de Sherbrooke Ouest depuis des années.

La carte des vins est courte et pourrait s'allonger, et personne ne s'en plaindrait.

- Pour un repas du mardi soir pas compliqué dans ce quartier.

- Terrasse l'été.

- Pour manger seul au bar.

- Un peu bruyant pour un tête-à-tête, mais lieu animé et sympathique.

- On aime le savon Aesop dans la salle de bain.

Ouvert le midi, du mardi au vendredi
Ouvert le soir, du lundi au samedi
Brunch le dimanche

4858, rue Sherbrooke Ouest
514 439-0937
www.brasserie-central.com

OÙ FAIRE LES COURSES ?
MES COUPS DE CŒUR

ÉPICERIES GÉNÉRALES

194

PÂTISSERIES

199

CHOCOLATERIES

201

ÉPICERIES ITALIENNES

203

ÉPICERIES ORIENTALES

205

ÉPICERIES ASIATIQUES

207

FRUITERIES

209

BOUTIQUES SPÉCIALISÉES

211

Latina

Cette épicerie est un grand classique du Mile-End, une épicerie très ancienne, retapée dans les années 1990, où l'on trouve aujourd'hui une sélection de produits de grande qualité. On y va pour les fruits et légumes, pour les plats préparés, pour la boucherie, pour trouver des produits spécifiques adorables, notamment le *ginger ale* Fentimans ou les chocolats Cluizel.

Durant les beaux jours, on peut s'asseoir à une petite terrasse pour manger un sandwich ou une salade, achetés à l'épicerie.

• Pour des fruits et légumes de qualité.

• Pour des plats préparés à rapporter à la maison ou à manger sur le pouce.

• Pour des sandwichs minute.

Horaire
7 h à 21 h, lundi – vendredi
7 h à 20 h, samedi
8 h à 20 h, dimanche

185, avenue Saint-Viateur Ouest, Montréal
514 273-6561
www.chezlatina.com

Fou d'ici

Installé sur le boulevard de Maisonneuve, en plein centre-ville, au bord de la piste cyclable et à deux pas de la place des Festivals, Fou d'ici fait penser aux supermarchés haut de gamme américains Whole Foods. On y trouve de tout. Boucherie, charcuteries, fromages, fruits et légumes… La différence avec un supermarché traditionnel ? La qualité des produits. Ici on déniche une limonade artisanale, là du chocolat fin, dans une autre allée des yaourts bio jamais vus ailleurs. Beaucoup de prêt-à-manger pour apporter le repas à la maison ou le savourer sur place.

C'est le chef Daren Bergeron, qu'on a connu notamment au Decca 77, qui veille sur les cuisines.

- Pour trouver des produits fins, des produits d'ici.
- Pour acheter une salade ou un sandwich à emporter.
- Pour faire des courses et prendre une bouchée sur place.
- Une des rares bonnes épiceries du centre-ville.

Horaire
8 h à 20 h, lundi – vendredi
9 h à 19 h, samedi
Fermé le dimanche

360, boulevard de Maisonneuve Ouest, Montréal
514 600-3424
www.foudici.com

Les Douceurs du Marché

Chaque fois que j'entre dans cette épicerie, que ce soit pour acheter une épice rare, une excellente huile d'olive ou mes confitures préférées, j'en ressors avec trois fois plus de produits que prévu : une crème de pistache, une boisson gazeuse au sureau ou au gingembre, des pâtes italiennes de grande qualité, du chocolat… Un lieu où l'on est sûr de trouver l'ingrédient manquant qu'on cherche pour une recette ou un repas. Un lieu où flâner pour faire des découvertes.

L'endroit dernier recours pour de nombreux ingrédients rares, comme des sirops, des épices, des huiles, des sauces exotiques.

• Pour faire le plein d'huiles d'olives et de vinaigres balsamique de partout.

• Beaucoup d'importations, mais aussi des produits fins locaux.

• Belle sélection de pâtes, de confitures, de chocolats.

Horaire
8 h 30 à 18 h, lundi – mercredi
8 h 30 à 19 h, jeudi – vendredi
8 h 30 à 17 h, samedi – dimanche

Marché Atwater
138, avenue Atwater, Montréal
514 939-3902

Gourmet Laurier

Je fréquente cette épicerie depuis des décennies. On y trouve de tout, notamment des produits d'importation française qui lui donnent un petit air de supermarché de l'Hexagone. Il y a même de la lessive française et des savons ! Sans parler de la vaste gamme de biscuits importés, de chocolats, de café, d'huiles, de conserves… Intéressants aussi : plusieurs ingrédients rares nécessaires en pâtisserie, comme le glucose ou le fondant.

On peut commander des sandwichs au comptoir à fromages et charcuteries.

- Pour les produits d'importation, surtout français.
- Une bonne adresse pour les amateurs de conserves fines.
- Pour la belle sélection de charcuteries françaises classiques.
- Pour le café en grains.

Horaire
9 h à 19 h, lundi — mercredi
9 h à 21 h, jeudi — vendredi
9 h à 18 h, samedi
12 h à 17 h 30, dimanche

1042, rue Laurier Ouest, Montréal
514 274-5601
www.goumetlaurier.ca

Maître Boucher

Mis à part le fait que dans certains cas les prix sont un peu élevés, cette boucherie-épicerie est une destination exemplaire. On en voudrait tous une dans notre quartier. On y trouve en effet de tout. De la viande de grande qualité, des charcuteries, une sélection de fromages exceptionnelle, des fruits et légumes, des produits locaux et d'importation. Avec un seul arrêt, on prépare aisément un repas. Même le pain Arhoma est au rendez-vous.

On peut aussi acheter plusieurs types de plats prêts à manger : soupes, mijotés, desserts, etc.

- Pour un arrêt épicerie unique : pain, viande, légumes, etc.
- Les prix ne sont pas les plus bas en ville, mais, lorsqu'on s'arrête dans ce genre de lieu, on achète moins et peut-être qu'on gaspille moins...
- Pour des produits importés et des produits régionaux.
- Belle sélection de fruits frais.

Horaire
8 h 30 à 19 h, lundi – mercredi
8 h 30 à 20 h, jeudi
8 h 30 à 21 h, vendredi
8 h 30 à 17 h, samedi
10 h à 17 h, dimanche

5719, avenue de Monkland, Montréal
514 487-1437

Yuki

Je vais souvent chez Yuki, cette pâtissière d'origine japonaise, mais qui a fait ses classes à la française et qui est installée rue Sherbrooke Ouest, à Notre-Dame-de-Grâce. Parfois, j'y vais pour les *cupcakes* qui sont toujours bons et jolis, même si le concept est moins à la mode qu'il y a quelques années. Parfois, j'y vais pour acheter un gâteau à emporter chez des amis. Mais j'y vais souvent surtout, surtout pour le cake au citron vert, bien beurré, bien acidulé, imbibé de jus d'agrume sucré, qu'on termine en se léchant les doigts.

Si on veut prendre un dessert sur place, il y a quelques tables pour nous accommoder.

- Pour un petit en-cas sucré en plein après-midi.
- Pour des gâteaux et biscuits à apporter à la maison ou à apporter chez des amis.
- Pour commander un gâteau de mariage ou pour toute autre grande occasion.

Horaire
9 h à 20 h, tous les jours

5211, rue Sherbrooke Ouest, Montréal
514 482-2435
www.yukibakery.com

Fous desserts

Il y a quelques années à *La Presse*, on a fait un concours pour trouver le meilleur croissant de Montréal. C'est celui de Fous Desserts qui a gagné. Depuis, je suis une *fan* de cette pâtisserie qui a vraiment du génie pour les feuilletés. Sa galette des Rois est particulièrement réussie. En 2013, Fous desserts s'est aussi associé à un projet de camion de cuisine de rue, le Fous Truck, qui propose des sandwichs et desserts composés à partir de croissants, comme ce fraisier au basilic. Une super réussite.

On adore les croissants de Fous Desserts, mais la pâtisserie offre aussi toute une gamme de gâteaux, de chocolats, etc.

• Pour les croissants.

• Pour apporter un gâteau chez des amis.

• Pour la galette des Rois.

Horaire
7 h 30 à 19 h, mardi – mercredi
7 h 30 à 19 h 30, jeudi – vendredi
7 h 30 à 18 h, samedi
Fermé, dimanche – lundi

809, avenue Laurier Est
Montréal
514 273-9335
www.fousdesserts.com

Chocolaterie À la Truffe !

Ici, on s'arrête pour prendre un café ou acheter une baguette. Mais la vraie, vraie raison, c'est pour acheter du chocolat et toutes sortes de créations au chocolat. On aime les chocolats fourrés à la ganache, que ce soit au thé rouge ou à la bergamote. On aime aussi les glaces, comme brownies-pacanes ou vanille-cardamome. Tout est fait sur place, incluant, en saison, les bleuets trempés dans le chocolat.

Il y a aussi toute une section pâtisserie pour prendre une petite bouchée sucrée en après-midi. Ou pour acheter un gâteau à emporter.

- Pour s'arrêter prendre le dessert et un bon café.
- Une belle adresse de la Rive-Sud.
- Pour acheter un dessert à emporter chez des amis ou à la maison.
- Pour acheter des chocolats.

Horaire
7 h à 18 h, lundi – mercredi
7 h à 20 h, jeudi – vendredi
7 h 30 à 17 h, samedi
8 h 30 à 17 h, dimanche

629, rue Adoncour, Longueuil
450 679-0027
www.alatruffe.ca

Les chocolats de Chloé

La chocolatière Chloé Germain-Fredette propose ici des chocolats d'une grande finesse, préparés de façon totalement artisanale, avec des ingrédients de première qualité. Peut-on demander plus d'une chocolatière ? La boutique est jolie, tout le *packaging* aussi. Et on aime les ganaches aux parfums exotiques : litchis, basilic, lait de coco… On peut également acheter des sandwichs glacés, des tablettes de chocolat, 1000 petits cadeaux. Un incontournable du Plateau. Installé à deux pas du Pied de cochon.

Cette chocolatière travaille avec du chocolat Valrhona.

- Pour acheter des chocolats en cadeau.
- Pour se faire plaisir.
- Pour un petit dessert sur le pouce.

Horaire
10 h à 18 h, mardi – mercredi
10 h à 20 h, jeudi – vendredi
11 h à 18 h, samedi
11 h à 17 h, dimanche
Fermé le lundi

546, rue Duluth Est, Montréal
514 849-5550
www.leschocolatsdechloe.com

Milano

Milano est plus qu'une épicerie. C'est une institution de la Petite-Italie. On y trouve de tout, comme si on faisait son marché dans un supermarché au pays du parmesan. Les produits frais – fromages, charcuteries, viandes, etc. –, mais aussi les pâtes, les huiles, les biscuits... Magnifique sélection de charcuteries italiennes, de tomates en boîte, de vinaigres balsamiques, de conserves italiennes (aubergines, thon, etc.).

À l'automne, on nous attend avec des étalages remplis de tout ce qu'il faut pour préparer du pesto.

- Pour la variété d'huiles d'olive, de tomates, de pâtes.

- Pour trouver des produits typiquement italiens, même du savon.

- Pour avoir l'impression d'être un peu en Italie.

- Attention, le samedi, il y a beaucoup de monde.

- Pour trouver les ingrédients spécifiques pour faire de la cuisine italienne.

Horaire
8 h à 18 h, lundi – mercredi
8 h à 21 h, jeudi – vendredi
8 h à 17 h, samedi – dimanche

6700, boulevard Saint-Laurent, Montréal
514 273-8558

Drogheria Fine

L'esprit de l'endroit est celui qui planait sur Il Piatto della nonna, où le propriétaire, Franco Gattuso, a travaillé pendant 15 ans. Installée dans l'avenue Fairmount, près de la boulangerie de bagels, cette toute petite épicerie propose des produits italiens authentiques : huiles, sauces déjà préparées, lasagne à emporter... La sélection n'est pas hyper vaste, mais tout ce qu'on trouve est savoureux, bien fait, très italien. Pour tous ceux qui n'ont pas de *mamma* dans leur famille pour leur cuisiner tout ça.

J'aime beaucoup le graphisme rétro et le style *shabby* chic de ce tout petit commerce du Mile-End.

- Pour acheter de bons produits italiens.
- Pour les grandes lasagnes à emporter. Les sauces en pots.
- On trouve les produits de la Drogheria dans plusieurs autres épiceries à Montréal.

Horaire
8 h à 18 h, tous les jours

68, avenue Fairmount Ouest, Montréal
514 588-7477
www.dorgheriafine.com

Chez Apo

Chez Apo n'est pas vraiment une épicerie. C'est plutôt une boulangerie arménienne-libanaise du quartier Villeray, où l'on retrouve d'authentiques lahmajouns, ces pâtes à pain plates garnies de thym, de fromage, d'épinards, qui se mangent aisément comme des focaccias orientales. Ici, tout est frais. Savoureux. Pas cher.

C'est un ami arménien qui m'a recommandé cet endroit où il n'y a pas une grande variété de produits, mais où tout est très frais.

• Pour un repas sur le pouce rapide.

• Pour un petit creux en après-midi.

• Pour se rappeler un voyage en Arménie...

Horaire
7 h 30 à 17 h, tous les jours

420, rue Faillon Est, Montréal
514 270-1076

Akhavan

J'adore Akhavan, une épicerie perse indépendante de la rue Sherbrooke Ouest. Ici, on achète des pistaches en gros, des olives, du tzatziki à la rose, des viandes marinées... Le comptoir de baklavas est aussi bien garni, sans compter les allées remplies d'huiles, d'épices, de pains orientaux. Il y a également un petit comptoir pour manger sur place.

On peut acheter tout ce qu'il faut pour un repas presque prêt à manger : viandes marinées pour le barbecue, salades d'aubergine, houmous, olives, légumes frais...

- Pour trouver tous les éléments nécessaires pour préparer un repas oriental.

- Moins achalandé qu'Adonis.

- Stationnement à côté.

- Petit comptoir pour manger un plat préparé sur place.

- Il y a aussi une succursale à Pierrefonds.

Horaire
8 h à 20 h, lundi – vendredi
8 h à 18 h, samedi – dimanche

6170, rue Sherbrooke Ouest, Montréal
514 485-4887

15 760, boulevard Pierrefonds, Pierrefonds
514 620-5551

www.akhavanfood.com

Aliments Miyamoto

Algues fumées salées, flocons de tempura, nouilles en tous genres… Aux Aliments Miyamoto, il y a tout pour préparer des plats asiatiques. Il suffit d'arriver avec une liste d'épicerie et de poser des questions. Ici, on ne fait pas que vendre des aliments, on s'y connaît en cuisine. Si le produit requis par un livre de recettes n'est pas disponible, on trouvera un substitut. Et est-ce nécessaire de préciser que les amateurs de sushi qui aiment cuisiner japonais à la maison y trouveront tout ce qui leur faut ?

Sur ce petit bout de la rue Victoria, on peut manger de l'excellente cuisine asiatique chez Park, ensuite trouver des livres de recettes pour préparer de tels plats chez Appetite for Books, puis acheter les ingrédients chez Miyamoto.

- Pour avoir l'impression d'être en Asie.
- Pour acheter des ingrédients spécifiques pour des recettes japonaises ou coréennes.

Horaire
10 h à 19 h 30, lundi – vendredi
10 h à 17 h, samedi – dimanche

382, avenue Victoria, Montréal
514 481-1952
www.sushilinks.com/miyamoto

Kim Phat

Si vous cherchez des dumplings congelés, des haricots kilomètres, des feuilles de kéfir, des nouilles udon, bref, toutes sortes d'ingrédients typiquement asiatiques pour concocter un repas sur le thème « souvenirs de voyage d'Asie », vous avez de bonnes chances d'en trouver dans ces immenses épiceries. Ici, entre les algues séchées de toutes sortes, les 1000 nouilles de riz, en passant par le poisson vivant et les étalages de légumes, les trouvailles savoureuses sont innombrables.

Ma succursale préférée est celle de Brossard, notamment à cause du comptoir de prêt-à-manger.

• Pour une épicerie qui sort des sentiers battus.

• Pour avoir l'impression d'être en Asie.

• Pour trouver des ingrédients asiatiques spécifiques.

Horaire
9 h à 19 h, tous les jours

3733, rue Jarry Est, Montréal
514 727-8919

3588, rue Goyer, Montréal
514 737-2383

7209, boulevard Taschereau, Brossard
450 678-9988

www.kimphat.com

Birri et frères

Birri est l'un des vrais cultivateurs qui vient vendre ses produits au marché Jean-Talon. Contrairement à bien d'autres, ce n'est pas un revendeur. Il est installé du côté nord-ouest du marché, dans la section ouverte. Le meilleur moment pour y aller : à la fin de l'été et en automne, quand les paniers débordent de tomates, de poivrons, d'aubergines, de courgettes, de gousses d'ail.

L'adresse idéale pour trouver tout ce qu'il faut pour préparer et engranger de la ratatouille ou des tomates en conserve.

- Pour des produits frais de qualité.
- Pour acheter des légumes en grande quantité quand on veut congeler des sauces ou faire des conserves.
- C'est un cultivateur, pas un revendeur.

Horaire
Ouvert tous les jours, selon l'horaire du marché

7075-A, avenue Casgrain, Montréal
514 276-3202
www.birrietfreres.com

Chez Louis

Cette fruiterie vend tout autant de beaux produits d'ici, en saison, que des fruits et légumes exotiques venus de loin. Fruits de la passion, ananas, melon de Cavaillon, mais aussi fines herbes, champignons sauvages, tomates de toutes les couleurs… Si vous cherchez un ingrédient très spécialisé, il est fort probable que ce commerçant ait une réponse à vous offrir. D'ailleurs, bien des chefs montréalais s'y approvisionnent.

Je ne peux pas dire que ça ne m'est jamais arrivé, mais rares sont les fois où j'ai été déçue par un fruit pas mûr, ou trop mûr, ou pâteux, acheté ici.

• Pour des fruits et légumes de belle qualité.

• Pas l'endroit le moins cher en ville.

• Pour trouver des ingrédients rares ou hors saison.

Horaire
Ouvert tous les jours, selon l'horaire du marché

Marché Jean-Talon
222, place du Marché-du-Nord, Montréal
514 277-4670

Boucherie Lawrence

Les boucheries indépendantes, spécialisées dans la viande de grande qualité et bio, ne sont pas légion à Montréal, alors qu'elles sont devenues super populaires à Brooklyn, New York, ou Portland, Oregon. La Boucherie Lawrence, petite sœur du restaurant Lawrence, est donc une sorte de pionnière de ce filon. Ici, on peut acheter un steak vieilli ou des abats. On peut aussi commander un excellent sandwich et le manger à la table centrale. Sandwich à la saucisse, aux œufs et au bacon… Vaut le détour.

On a peint une grande carte du Québec au mur, histoire de pouvoir expliquer aux clients d'où viennent les différentes viandes vendues sur place.

• Pour acheter de la viande.

• Pour acheter un sandwich.

• Pour manger une bouchée sur place.

Horaire
9 h à 19 h, mardi – vendredi
10 h à 18 h, samedi – dimanche

5237, boulevard Saint-Laurent, Montréal
514 277-8880
www.boucherielawrence.com

Olive et Olives

Dans cette épicerie hyper spécialisée, on trouve d'abord et avant tout de l'huile d'olive. Beaucoup d'huiles d'olive. De toutes origines, de tous les prix. Et les vendeurs connaissent leurs produits et peuvent vous expliquer pourquoi on devrait utiliser celle-ci pour la salade et celle-là pour le pesto. Mais les jolies étagères et l'aménagement très aéré cachent aussi d'autres produits triés sur le volet : vinaigres, olives entières, tapenades...

Si cette minichaîne a envie d'ouvrir une nouvelle succursale, est-ce que ça pourrait être près de chez moi ? Pour le moment, il y en a déjà à Saint-Lambert, à Outremont, à Laval, à Rosemont, au marché Jean-Talon et même à Toronto...

- Pour acheter de l'huile d'olive.
- Pour trouver des cadeaux originaux.
- Pour d'autres produits connexes, comme des olives en boîte, du vinaigre, etc.

Horaire
Les heures d'ouverture varient selon les succursales

3127, rue Masson, Montréal
514 526-8989

7070, avenue Henri-Julien, Montréal
514 271-0001

2828, avenue du Cosmodôme, Laval
450 687-8222

428b, avenue Victoria, Saint-Lambert
450 923-2424

www.oliveolives.com

CIRCUITS GOURMANDS

JOURNÉE AVEC LES BEAUX-PARENTS DE BOUCHERVILLE

214

JOURNÉE PAS TROP CHÈRE

216

JOURNÉE AVEC LES COUSINS DE QUÉBEC

218

JOURNÉE VIEUX-MONTRÉAL AVEC DES TOURISTES

220

JOURNÉE DE WEEKEND AVEC DE JEUNES ENFANTS

222

JOURNÉE DE FILLES

224

JOURNÉE POUR *FOODIES*

226

Journée avec les beaux-parents de Boucherville

1. Petit-déjeuner chic au Renoir du Sofitel.

2. Visite du Musée des beaux-arts ou du Musée d'art contemporain.

3. Lunch dans le quartier chinois. On les dépayse au KanBai de la rue Clark, avec de la salade de méduse et du porc au bambou. Plus classique : on va à la Brasserie T ! pour un steak frites.

4. Après-midi de shopping dans la rue Sainte-Catherine.

5. Souper à la Maison Boulud, au Ritz.

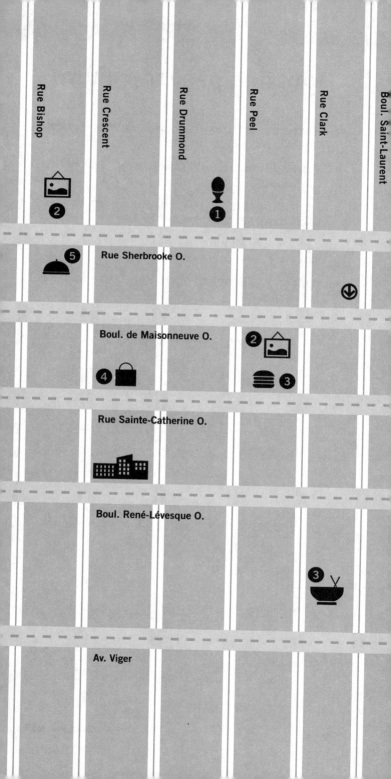

Rue Bishop

Rue Crescent

Rue Drummond

Rue Peel

Rue Clark

Boul. Saint-Laurent

2

1

5 Rue Sherbrooke O.

Boul. de Maisonneuve O. **2**

4 **3**

Rue Sainte-Catherine O.

Boul. René-Lévesque O.

3

Av. Viger

Journée pas trop chère

1. Pour le petit-déjeuner, croissant à La Cornetteria. On les mange dans un parc.

2. Visite de galeries d'art au Belgo, rue Sainte-Catherine Ouest.

3. Lunch : un sandwich vietnamien chez Banh-mi Cao-Thang sur Saint-Laurent.

4. Apéro pique-nique sur le mont Royal. On apporte son vin et ses amuse-bouches.

5. Souper au Comptoir charcuteries et vin ou au Labo culinaire.

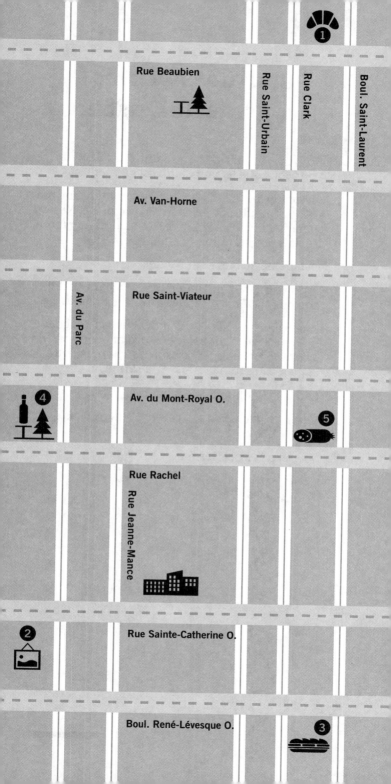

Journée avec les cousins de Québec

1. Brunch à La Fabrique, rue Saint-Denis. On espère pour vous que le pain perdu est au menu.

2. Shopping rue Saint-Denis, en commençant par Arthur Quentin et ses articles de cuisine. Ne pas manquer non plus Philippe Dubuc, designer montréalais pour hommes, génial.

3. Pause café au Nevé sur Rachel.

4. Shopping sur Saint-Laurent en marchant en direction du Mile-End. Arrêt design chez Jamais assez.

5. Lunch dans le Mile-End. Sandwichs à la Boucherie Lawrence. Ou alors salade, chocolat ou *ginger ale* (ou toute autre super boisson fraîche) chez Latina. Pique-nique sur la terrasse du Latina en été.

6. Café à la Boulangerie Guillaume.

7. Visite de galeries d'art, comme Simon Blais ou le Centre Clark.

8. Souper à l'Hôtel Herman.

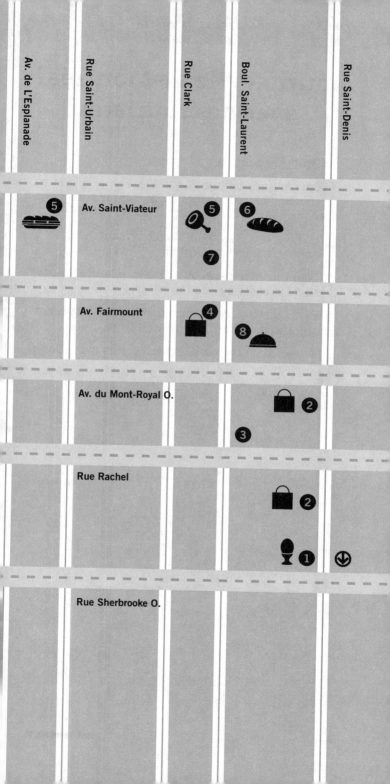

Journée Vieux-Montréal avec des touristes

1. Petit-déjeuner chez Titanic.

2. Balade dans les rues de la vieille ville. Arrêt au musée d'histoire Pointe-à-Callière ou à la magnifique galerie d'art contemporain DHC/ART.

3. En hiver ou en automne, lunch typiquement nord-américain au Gros Jambon.

4. Pour un dessert spectaculaire, si c'est ouvert, arrêt sucré et café aux 400 Coups.

5. Visite de la place Jacques-Cartier, de l'église Bonsecours, de la basilique Notre-Dame...

6. Souper au Club Chasse et Pêche ou au Bar & Bœuf.

Journée de week-end avec de jeunes enfants

1. Brunch au Réservoir. Les parents commandent, les enfants partagent. Plats réconfortants, qui sortent des sentiers battus. Et qui n'aime pas les crêpes ou le pain perdu ?

2. Marche direction parc Jeanne-Mance pour la barboteuse et l'espace jeu pour enfants. L'hiver, luge.

3. Retour vers le Plateau pour une pizza chez Prato Pizzeria sur Saint-Laurent, avec son jeu de *baby-foot*.

4. Après-midi poussette. Arrêt sur la place des Festivals. En été, balançoires et jets d'eau.

5. Les parents peuvent boire un café sur l'avenue du Parc, chez Pikolo.

6. On prend le métro en direction de la station Sherbrooke pour une glace chez Les Givrés. On regarde les employés fabriquer leurs cornets.

7. Balade au parc Lafontaine.

8. Pour le souper ? Le Nouveau Palais dans le Mile-End si on veut de la cuisine familiale, Noodle Factory dans le quartier chinois pour des nouilles pas chères.

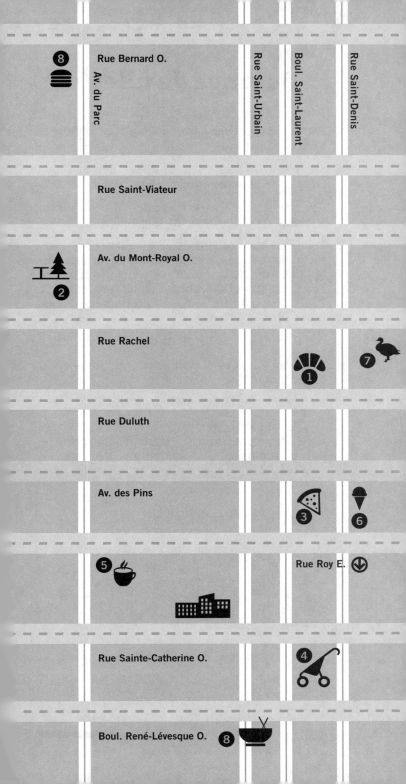

Journée de filles

1. Petit-déjeuner chez Olive et Gourmando dans le Vieux-Montréal.

2. Shopping ou lèche-vitrine chez SSense, Denis Gagnon et Espace Pépin, rue Saint-Paul Ouest.

3. On regarde s'il n'y a pas une activité spéciale, projection, exposition à voir au Centre Phi.

4. Lunch au Bouillon Bilk dans le Quartier des spectacles pour un repas un peu chic, pause mozzarella chez Mangiafoco si on ne veut pas marcher beaucoup et peut-être apercevoir les gars de Simple Plan (le bassiste du groupe est propriétaire du restaurant).

5. Après-midi au spa Bota Bota dans le Vieux-Port

6. Apéro au Furco ou à la Buvette chez Simone. Attention : achalandé.

7. Souper au Lawrence dans le Mile-End.

8. Drinks au Big in Japan sur Saint-Laurent. Attention : il n'y a pas d'affiche extérieure et la porte ne paie pas de mine. Mais à l'intérieur, déco spectaculaire.

Journée pour *foodies*

1. Café et viennoiseries Sweet Lee's chez Saint-Henri micro-torrefacteur.

2. Arrêt aux Douceurs du Marché pour une épicerie de connaisseurs. *Ginger ale* Bruce Cost, chocolat Cluizel, huile d'olive L'Estornell, confitures Georges Grall.

3. Saut chez Geneviève Grandbois pour des chocolats à la badiane.

4. Lunch chez les Satay Brothers. Salade de papaye verte. Laksa.

5. Pause culturelle à la Parisian Laundry, rue Saint-Antoine.

6. Shopping chez Harricana, angle Atwater et Saint-Antoine.

7. Souper au Vin Papillon pour vins natures ou légumes variés ou chez Joe Beef pour viande et bons vins de Bourgogne.

Rue de Rose de Lima

Av. Atwater

Rue Vinet

5

6

Rue Saint-Antoine

Rue Saint-Jacques

4

2

3

1

Rue Notre-Dame O.

7 7

TOUS LES RESTOS QUARTIER PAR QUARTIER

Rive-Nord

Cabane à sucre du Pied
de cochon (La) — 61
Campagna — 188
Just Thaï (Au) — 189

Laval

Bottega — 81
Khyber Pass — 93
Talay Thaï II — 92

Saint-Laurent, Cartierville, Ahuntsic

Bête à pain (La) — 111
Elounda — 119
Ezo — 84
Solémer — 83
St-Urbain (Le) — 183

Petite-Italie, Villeray, Parc-Extension

Aqua Mare — 109
Bottega — 81
Chez Vincenzo — 159
Cornetteria (La) — 160
Dépanneur Le Pick Up — 148
Gus — 127
Havre-aux-Glaces — 167
Hostaria — 37
Impasto — 73
Inferno — 74
Mamie Clafoutis — 166
Pastaga — 29
Tandem — 90
Tapeo — 117
Triple Crown — 110
Village Grec — 146

Plateau

Anecdote (L') — 151
Bistro Cocagne — 60
Cinquième Péché (Au) — 88
Comptoir charcuteries
et vins (Le) — 87
Cons Servent (Les) — 122
Express (L') — 77
Fabrique (La) — 89
Famille (La) — 105
Flocon Espresso — 172
Givrés (Les) — 164
Khyber Pass — 93
Laloux — 40
Lapin pressé — 149
Maison Publique — 56
Pâtisserie rhubarbe — 163
Pied de cochon (Au) — 26
Pintxo — 118
Pop ! — 44
Renard artisan bistro — 179
Ruby Burma — 131
Salle à manger (La) — 76
Schwartz's — 58
SoupSoupe — 153
Tasso bar à mezze — 104
Tri Express — 110

Rosemont, Petite-Patrie

Bistro Chez Roger — 123
M sur Masson — 186
Régine Café — 141
Santa Barbara — 124
SoupeSoup — 153

Boulevard Saint-Laurent, Sherbrooke

Big in Japan	70
Brasserie Réservoir	144
Café Névé	171
Icehouse	71
Labo culinaire (Le)	86
Pikolo	170
Portus Calle	67
Prato Pizzeria	82
Pullman	43
SoupeSoup	153

Outremont, Mile-End

Aux lilas	138
BarBounya	129
Boulangerie Guillaume	142
Buvette chez Simone	45
Caffè In Gamba	173
Chronique (La)	20
Damas	135
Filet (Le)	34
Hôtel Herman	35
Jun-I	116
Lawrence	39
Leméac	75
Maïs	128
Mandy's	152
Milos	24
Mythos	181
Nouveau Palais (Le)	79
Panthère verte (La)	125
Pizzeria Magpie	80
Scarpetta	133
Sir Joseph	68
SoupeSoup	153
TA	154
Ta Chido	95
Thaïlande	136
Van Horne	31

Centre-ville

Bofinger	112
Bouillon Bilk	30
Brasserie T !	52
Café Holt	55
Café Myriade	174
Contemporain (Le)	48
Devi	137
Europea	53
F Bar	65
Ferreira Café	49
Furco	63
Imadake	96
Kanbai	94
Kazu	54
Laurie Raphaël Montréal	25
M : BRGR	150
Maison du nord (La) (Ban Fei)	185
Nora Gray	38
Qing Hua	99
Renoir	51
Roi du wonton (Le)	100
SoupeSoup	153
Vasco da Gama	155

Centre-Sud, Village, Hochelaga–Maisonneuve

Arhoma	143
Chasseur (Le)	178
Chipotle & Jalapeño	139
De farine et d'eau fraîche	162
Mezcla	130
Kitchenette	66

Quartier chinois

Banh-mi Cao-Thang	156
Kanbai	94
Noodle Factory	101

Vieux-Montréal

400 Coups (Les)	33
Accords	42
Auberge Saint-Gabriel (L')	62
Bar & Bœuf	36
Titanic	190
Club Chasse et Pêche (Le)	22
Graziella	50
Gros Jambon (Le)	78
Hambar	121
Helena	64
Olive et Gourmando	57
Mangiafoco	132
Sinclair	32
SoupeSoup	153
Toqué !	21

Sud-Ouest, Snowdon, Notre-Dame-de-Grâce, Westmount...

Bofinger	112
Brasserie Central	191
Deli Snowdon	182
Garde-manger italien (Le)	147
Grinder	69
Grumman 78	106
Havre-aux-Glaces	167
Joe Beef	27
Jonah James	175
Lezvos Ouest	120
Liverpool House	72
Mandy's	152
Melk	169
Park	114
Saint-Henri micro-torréfacteur	168
Satay Brothers	107

Tuck Shop	187
Vin Papillon	41
Yuki	199

Côte-des-Neiges

Arouch	98
Caverne (La)	140
Pushap	126

Verdun

Blackstrap BBQ	145
Îles en ville (Les)	59

Saint-Lambert

Échoppe des fromages (L')	157
Histoire de pâtes	158
Primi Piatti	180

Boucherville

Comptoir gourmand (Le)	184

Brossard

Bar à chocolat (Le)	165

Ouest de l'île

Piada	97

AUTRES SOLUTIONS

Vous voulez manger quoi au juste ?

De la bonne viande

Auberge Saint-Gabriel (L')	62
Bistro Chez Roger	123
Blackstrap BBQ	145
Brasserie T !	52
Cabane à sucre du Pied de cochon (La)	61
Club Chasse et Pêche (Le)	22
Joe Beef	27
Lawrence	39
Maison Publique	56
Tuck Shop	187

Des charcuteries

Brasserie Central	191
Brasserie T !	52
Comptoir charcuteries et vins (Le)	87
Hambar	121
Salle à manger (La)	76

Du poisson et des fruits de mer

Aqua Mare	109
Elounda	119
Ezo	84
F Bar	65
Ferreira Café	49
Helena	64
Îles en ville (Les)	59
Kitchenette	66
Lezvos Ouest	120
Milos	24
Pied de cochon (Au) surtout l'été)	26
Portus Calle	67
Solémer	83
Tasso bar à mezze	104

Des sandwichs, tacos et autres lunchs portables

Arouch	98
Banh-mi Cao-Thang	156
Comptoir gourmand (Le)	184
Gros Jambon (Le)	78
Grumman 78	106
Lapin pressé	149
Olive et Gourmando	57
Panthère verte (La)	125
Piada	97
SoupeSoup	153
TA	154
Ta Chido	95
Vasco da Gama	155

Des crêpes

Crêperie du marché	108

Des dumplings

Noodle Factory	101
Qing Hua	99
Roi du wonton (Le)	100

Du bon vin au verre

Brasserie Central	191
Brasserie T !	52
Cinquième Péché (Au)	88
Club Chasse et Pêche (Le)	22
Comptoir charcuteries et vin (Le)	87
Cons Servent (Les)	122
Hambar	121

Pastaga	29
Pop !	44
Pullman	43
Toqué !	21

Des produits régionaux

Bistro Cocagne	60
Brasserie T !	52
Îles en ville (Les)	59
Joe Beef	27
Laloux	40
Laurie Raphaël Montréal	25
Pied de cochon (Au)	26
Toqué !	21

De la cuisine traditionnelle québécoise modernisée

Auberge Saint-Gabriel (L')	62
Cabane à sucre du Pied de cochon (La)	61
Cons Servent (Les)	122
Fabrique (La)	89
Gros Jambon (Le)	78
Laurie Raphaël Montréal	25
Pied de cochon (Au)	26

De la cuisine traditionnelle britannique modernisée

Maison Publique	56
Sir Joseph	68

Quel type de repas cherchez-vous ?

L'apéro

Brasserie Central	191
Buvette chez Simone	45
Chasseur (Le)	178
Famille (La)	105
Grinder	69
Mangiafoco	132
Pop !	44
Pullman	43
Sir Joseph	68
Toqué !	21
Vin Papillon	41

Un verre de fin de soirée et une bouchée

Brasserie T !	52
Buvette chez Simone	45
Express (L')	77
F Bar	65
Furco	63
Grinder	69
Leméac	75
Pop !	44
Pullman	43
Sir Joseph	68
Toqué !	21

De la crème glacée

Chez Vincenzo	159
Chocolaterie À la Truffe !	201
Chocolats de Chloé (Les)	202
Givrés (Les)	164
Havre-aux-Glaces	167
Kem CoBa	161
Piada	97

Un petit dessert avec ça ?

Titanic	190
Club Chasse et Pêche (Le)	22
Cornetteria (La)	160
De farine et d'eau fraîche	162

Givrés (Les) 164
Laloux 40
Mamie Clafoutis 166
Pâtisserie rhubarbe 163
Pop ! 44
Yuki 199

**Pour la pizza
ou les piadine**

Bottega 81
Mangiafoco 132
Piada 97
Pizzeria Magpie 80
Prato Pizzeria 82
Primi Piatti 180

Pour emporter

Aqua Mare 109
Aux lilas 138
Bofinger 112
Bottega 81
Boucherie Lawrence 211
Chez Apo 205
Titanic 190
Cons Servent (Les) 122
Dépanneur Le Pick Up 148
Devi 137
Mandy's 152
Olive et Gourmando 57
Pied de cochon (Au) 26
Prato Pizzeria 82
Ta Chido 95
Talay Thaï II 92
Triple Crown 110
Village Grec 146

Avec qui allez-vous manger ?

On y va seul sans problème

Bar & Bœuf 36
BarBounya 129
Bistro Cocagne 60
Brasserie Central 191
Brasserie T ! 52
Cons Servent (Les) 122
Express (L') 77
Famille (La) 105
Hambar 121
Gus 127
Impasto 73
Joe Beef 27
Leméac 75
Maison Boulud 23
Maison Publique 56
Nora Gray 38
Pied de cochon (Au) 26
Pop ! 44
Pullman 43
Salle à manger (La) 76
Schwartz's 58
Toqué ! 21
Vasco da Gama 155

On emmène les enfants

Anecdote (L') 151
Aqua Mare 109
Arhoma 143
Bar à chocolat (Le) 165
Blackstrap BBQ 145
Bottega 81
Boulangerie Guillaume 142
Brasserie T ! 52

Cabane à sucre du Pied
 de cochon (La)   61
Chez Vincenzo   159
Chocolaterie À la Truffe !   201
Chocolats de Chloé (Les)   202
Cons Servent (Les)   122
Cornetteria (La)   160
Crêperie du marché   108
De farine et d'eau fraîche   162
Deli Snowdon   182
Elounda   119
Fous desserts   200
Gros Jambon (Le)   78
Îles en ville (Les)   59
Impasto   73
Jonah James   175
Kazu   54
Leméac   75
Maïs   128
Mamie Clafoutis   166
Mandy's   152
Mythos   181
Noodle Factory   101
Nouveau Palais (Le)   79
Olive et Gourmando   57
Omma   134
Piada   97
Pied de cochon (Au)   26
Pizzeria Magpie   80
Prato Pizzeria   82
Qing Hua   99
Régine Café   141
Roi du wonton (Le)   100
Saint-Henri
 micro-torréfacteur   168
Satay Brothers   107
Scarpetta   133
Schwartz's   58
Solémer   83
SoupeSoup   153

Tapeo   117
Tri Express   115
Triple Crown   110
Yuki   199

Où aller avec ses grands-parents

Café Holt (surtout
 grand-maman)   55
Chocolaterie À la Truffe !   201
Chronique (La)   20
Elounda   119
Europea   53
Ezo   84
Graziella   50
Helena   64
Hostaria   37
Leméac   75
Lezvos Ouest   120
Maison Boulud   23
Mythos   181
Primi Piatti   180
Scarpetta   133
Solémer   83

Pour impressionner un client

Bouillon Bilk   30
Chronique (La)   20
Contemporain (Le)   48
Club Chasse et Pêche (Le)   22
Europea   53
Ferreira Café   49
Filet (Le)   34
Hambar   121
Joe Beef   27
Maison Boulud   23
Milos   24
Park   114

Toqué !	21
Van Horne	31

Toqué !	21
Van Horne	31

Pour un premier rendez-vous galant

BarBounya	129
Bouillon Bilk	30
Cons Servent (Les)	122
F Bar	65
Laloux	40
M sur Masson	186
Mezcla	130
Renard artisan bistro	179
Sir Joseph	68
Van Horne	31
Vin Papillon	41

Pour un deuxième rendez-vous galant...

Comptoir charcuteries et vin (Le)	87
Contemporain (Le)	48
Europea	53
Graziella	50
Helena	64
Hostaria	37
Pintxo	118
Portus Calle	67
Toqué ! (au bar)	21

Pour la demande en mariage

Chronique (La)	20
Club Chasse et Pêche (Le)	22
Contemporain (Le)	48
Joe Beef	27
Milos	24
Maison Boulud	23

Pour un souper de gars

Auberge Saint-Gabriel (L')	62
BarBounya	129
Blackstrap BBQ	145
Bistro Chez Roger	123
Brasserie T !	52
Cabane à sucre du Pied de cochon (La)	61
Chasseur (Le)	178
F Bar	65
Fabrique (La)	89
Furco	63
Grinder	69
Hambar	121
Icehouse	71
Joe Beef	27
M : BRGR	150
Maison Publique	56
Pied de cochon (Au)	26
Salle à manger (La)	76
Sir Joseph	68
Village Grec	146
Vin Papillon	41

Pour un souper de filles

BarBounya	129
400 Coups (Les)	33
Bar & Bœuf	36
Bistro Cocagne	60
Brasserie Central	191
Brasserie T !	52
Buvette chez Simone	45
Chasseur (Le)	178
Ezo	84
F Bar	65
Furco	63
Hostaria	37

Imadake	96
Impasto	73
Inferno	74
Leméac	75
Mangiafoco	132
Mezcla	130
Omma	134
Park	114
Pop !	44
Portus Calle	67
Primi Piatti	180
Salle à manger (La)	76
Santa Barbara	124
Sir Joseph	68
Van Horne	31
Vin Papillon	41

Pour sortir en gros groupe

Bistro Cocagne	60
Chasseur (Le)	178
Cons Servent (Les)	122
Elounda	119
Ezo	84
Lezvoz Ouest	120
Mythos	181
Salle à manger (La)	76
Solémer	83

Qui voulez-vous voir ?

Pour voir la faune intello-artistique

Accords	42
Pied de cochon (Au)	26
Buvette chez Simone	45
Express (L')	77
Filet (Le)	34

Leméac	75
Pullman	43

Pour voir les gens de la restauration

Bar du Big in Japan	70
Brasserie T !	52
Cabane à sucre du Pied de cochon (La)	61
Pied de cochon (Au)	26
Pullman	43

Il doit être comment ce restaurant ?

Une belle terrasse

Accords	42
Brasserie Central	191
Brasserie T !	52
Cinquième Péché (Au)	88
Club Chasse et Pêche (Le)	22
F Bar	65
Hambar	121
Icehouse	71
Joe Beef	27
Jonah James	175
Laloux	40
Leméac	75
Maison Boulud	23
Renoir	51
Sinclair	32
Tasso bar à mezze	104

Un beau décor

Big in Japan	70
Grumman 78	106
Hôtel Herman	35
Jonah James	175

Labo culinaire (Le)	86
Laurie Raphaël Montréal	25
Pop !	44
Van Horne	31

On y observe les dernières tendances

Big in Japan	70
Café Holt	55
Café Névé	171
Kanbai	94
Gus	127
Labo culinaire (Le)	86
Lawrence	39
Maïs	128
Nouveau Palais (Le)	79
Olive et Gourmando	57
Pikolo	170
Santa Barbara	124

On peut voir des vedettes, même internationales

Express (L')	77
Impasto	73
Inferno	74
Maison Boulud	23
Milos	24
Olive et Gourmando	57
Mangiafoco	132
Pied de cochon (Au)	26
Pullman	43

Quand voulez-vous manger ?

Pour le brunch ou le petit-déjeuner

Accords	42
Anecdote (L')	151
Arhoma	143
Bête à pain (La)	111
Bistro Chez Roger	123
Boulangerie Guillaume	142
Brasserie Central (le dimanche seulement)	191
Brasserie Réservoir	144
Café Holt	55
Café Myriade	174
Café Névé	171
Titanic	190
Caffè in Gamba	173
Comptoir charcuteries et vins (Le) (le dimanche seulement)	87
Cornetteria (La)	160
Dépanneur Le Pick Up	148
Express (L')	77
Fabrique (La)	89
Famille (La)	105
Flocon Espresso	172
Gros Jambon (Le)	78
Hambar	121
Jonah James	175
Lawrence	39
Leméac	75
M : BRGR	150
M sur Masson (le dimanche seulement)	186
Maison Boulud	23
Maison Publique	56
Melk	169
Nouveau Palais (Le)	79
Olive et Gourmando	57
Park (le samedi seulement)	114
Pastaga	29
Pâtisserie Rhubarbe	163
Pikolo	170
Régine Café	141

Renoir 51
Saint-Henri
   micro-torréfacteur 168
Santa Barbara 124
Schwartz's 58
Vasco da Gama 155

Pour le lunch

Accords 42
Anecdote (L') 151
Arhoma 143
Arouch 98
Auberge Saint-Gabriel (L') 62
Aqua mare 109
Banh-mi Cao-Thang 156
Bar & Bœuf 36
Big in Japan 70
Bistro Chez Roger 13
Blackstrap BBQ 145
Bofinger 112
Bouillon Bilk 30
Boulangerie Guillaume 142
Brasserie Central 191
Brasserie T ! 52
Café Holt 55
Caffè in Gamba 173
Café Névé 171
Campagna 188
Caverne (La) 140
Chez Vincenzo 159
Chipotle & Jalapeño 139
Chronique (La) 20
Comptoir charcuteries
   et vins (Le) 87
Contemporain (Le) 48
Comptoir gourmand (Le) 184
Cornetteria (La) 160
Crêperie du marché 108
De farine et d'eau fraîche 162
Deli Snowdon 182
Dépanneur Le Pick Up 148

Devi 137
Échoppe des fromages (L') 157
Elounda 119
Europea 53
Express (L') 77
Ezo 84
Famille (La) 105
F Bar 65
Ferreira Café 49
Graziella 50
Grinder 69
Gros Jambon (Le) 78
Hambar 121
Helena 64
Histoire de pâtes 158
Îles en ville (Les) 59
Imadake 96
Jonah James 175
Jun-I 116
Just Thaï (Au) 189
Kanbai 94
Kazu 54
Kitchenette 66
Laloux 40
Lapin pressé 149
Laurie Raphaël Montréal 25
Leméac 75
M : BRGR 150
M sur Masson 186
Maison Boulud 23
Maison du nord
   (Bei Fang) (La) 185
Mamie Clafoutis 166
Mandy's 152
Mangiafoco 132
Milos 24
Mythos 181
Noodle Factory 101
Olive et Gourmando 57
Panthère verte (La) 125
Park 114

Pastaga	29
Piada	97
Pintxo	118
Portus Calle	67
Prato Pizzeria	82
Primi Piatti	180
Pushap	126
Qing Hua	99
Quartier général	91
Régine Café	141
Renoir	51
Roi du wonton (Le)	100
Ruby Burma	131
Schwartz's	58
Sinclair	32
Solémer	83
SoupeSoup	153
St-Urbain (Le)	183
TA	154
Ta Chido	95
Talay Thaï II	92
Tapeo	117
Tasso bar à mezze	104
Thaïlande	136
Titanic	190
Toqué !	21
Tri Express	115
Vasco da Gama	155

Pour un petit creux d'après-midi

Bar à chocolat (Le)	165
Café Névé	171
Chez Vincenzo	159
Chocolaterie À la Truffe !	201
Chocolats de Chloé (Les)	202
Cornetteria (La)	160
De farine et d'eau fraîche	162
Flocon Espresso	172
Fous desserts	200
Givrés (Les)	164

Jonah James	175
Kem CoBa	161
Mamie Clafoutis	166
Mandy's	152
Melk	169
Piada	97
Satay Brothers	107
Yuki	199

Ouvert le dimanche soir

Accords	42
Anecdote (L')	151
Arouch	98
Big in Japan	70
Bistro Chez Roger	123
Bistro Cocagne	60
Bofinger	112
Bottega	81
Bouillon Bilk	30
Brasserie Réservoir	144
Brasserie T !	52
Buvette chez Simone	45
Caverne (La)	140
Chasseur (Le)	178
Chipotle & Jalapeño	139
Chronique (La)	20
Comptoir charcuteries et vins (Le)	87
Cons Servent (Les)	122
Damas	135
Devi	137
Elounda	119
Europea	53
Express (L')	77
Ezo	84
Fabrique (La)	89
F Bar	65
Ferreira Café	49
Furco	63
Grumman 78	106
Hambar	121

Havre-aux-Glaces
(été seulement) 167
Hôtel Herman 35
Icehouse 71
Îles en ville (Les) 59
Imadake 96
Just Thaï (Au) 189
Kanbai 94
Kazu 54
Khyber Pass 93
Laloux 40
Laurie Raphaël Montréal 25
Leméac 75
Lezvos Ouest 120
M : BRGR 150
Maison Boulud 23
Maison du nord
(Bei Fang) (La) 185
Maison Publique 56
Mangiafoco 132
Mezcla 130
Milos 24
Mythos 181
Noodle Factoy 101
Omma 134
Pastaga 29
Pied de cochon (Au) 26
Pintxo 118
Pizzeria Magpie 80
Pop ! 44
Primi Piatti 180
Pullman 43
Pushap 126
Qing Hua 99
Quartier général 91
Renoir 51
Ruby Burma 131
Salle à manger (La) 76
Scarpetta 133
Schwartz's 58
Sinclair 32

Solémer 83
TA 154
Talay Thaï II 92
Tapeo 117
Thaïlande 136
Tri Express 115
Triple Crown 110
Village Grec 146

Ouvert le lundi soir

Accords 42
Anecdote (L') 151
Arouch 98
Big in Japan 70
Bistro Chez Roger 123
Blackstrap BBQ 145
Bofinger 112
Bouillon Bilk 30
Brasserie Central 191
Brasserie Réservoir 144
Brasserie T ! 52
Buvette chez Simone 45
Caffè In Gamba 173
Caverne (La) 140
Chronique (La) 20
Cons Servent (Les) 122
Damas 135
Devi 137
Elounda 119
Europea 53
Express (L') 77
Ferreira Café 49
Furco 63
Gros Jambon (Le) 78
Grumman 78 106
Hambar 121
Havre-aux-Glaces
(été seulement) 167
Helena 64
Hôtel Herman 35
Imadake 96

Jun-I	116
Kanbai	94
Kazu	54
Khyber Pass	93
Laloux	40
Laurie Raphaël Montréal	25
Leméac	75
Lezvos Ouest	120
M : BRGR	150
Maison Boulud	23
Maison du nord (Bei Fang) (La)	185
Mandy's	152
Mangiafoco	132
Mezcla	130
Milos	24
Mythos	181
Noodle Factory	101
Omma	134
Panthère verte (La)	125
Park	114
Pintxo	118
Pop !	44
Portus Calle	67
Prato Pizzeria	82
Primi Piatti	180
Pullman	43
Pushap	126
Qing Hua	99
Quartier général	91
Renoir	51
Roi du wonton (Le)	100
Ruby Burma	131
Salle à manger (La)	76
Schwartz's	58
Sinclair	32
Solémer	83
TA	154
Tapeo	117
Tasso bar à mezze	104
Triple Crown	110
Village Grec	146

Ouvert tard

Bar du Big in Japan	70
Brasserie T !	52
Chasseur (Le)	178
Express (L')	77
F Bar	65
Furco	63
Leméac	75
Nouveau palais (Le)	79
Pied de cochon (Au)	26
Portus Calle (le samedi)	67
Pullman	43
Schwartz's	58

INDEX ALPHABÉTIQUE DES RESTAURANTS

400 Coups (Les)	33
Accords	42
Anecdote (L')	151
Aqua Mare	109
Arhoma	143
Arouch	98
Auberge Saint-Gabriel (L')	62
Aux lilas	138
Banh-mi Cao-Thang	156
Bar & Bœuf	36
Bar à chocolat (Le)	165
BarBounya	129
Bête à pain (La)	111
Big in Japan	70
Bistro Chez Roger	123
Bistro Cocagne	60
Blackstrap BBQ	145
Bofinger	112
Bottega	81
Bouillon Bilk	30
Boulangerie Guillaume	142
Brasserie Central	191
Brasserie Réservoir	144
Brasserie T !	52
Buvette chez Simone	45
Cabane à sucre du Pied de cochon	61
Café Holt	55
Café Myriade	174
Café Névé	171
Caffè In Gamba	173
Campagna	188
Caverne (La)	140
Chasseur (Le)	178
Chez Vincenzo	159
Chipotle & Jalapeño	139
Chronique (La)	20
Cinquième Péché (Au)	88
Club Chasse et Pêche (Le)	22
Comptoir charcuteries et vins (Le)	87
Comptoir gourmand (Le)	184
Cons Servent (Les)	122
Contemporain (Le)	48
Cornetteria (La)	160
Crêperie du marché	108
Damas	135
De farine et d'eau fraîche	162
Deli Snowdon	182
Dépanneur Le Pick Up	148
Devi	137
Échoppe des fromages (L')	157
Elounda	119
Europea	53
Express (L')	77
Ezo	84
F Bar	65
Fabrique (La)	89
Famille (La)	105
Ferreira Café	49
Filet (Le)	34
Flocon Espresso	172
Furco	63
Garde-manger italien (Le)	147
Givrés (Les)	164
Graziella	50
Grinder	69
Gros Jambon (Le)	78
Grumman 78	106
Gus	127

Hambar	121	Mythos	181
Havre-aux-Glaces	167	Noodle Factory	101
Helena	64	Nora Gray	38
Histoire de pâtes	158	Nouveau Palais (Le)	79
Hostaria	37	Olive et Gourmando	57
Hôtel Herman	35	Omma	134
Icehouse	71	Panthère verte (La)	125
Îles en ville (Les)	59	Park	114
Imadake	96	Pastaga	29
Impasto	73	Pâtisserie Rhubarbe	163
Inferno	74	Piada	97
Joe Beef	27	Pied de cochon (Au)	26
Jonah James	175	Pikolo	170
Jun-I	116	Pintxo	118
Just Thaï (Au)	189	Pizzeria Magpie	80
Kanbai	94	Pop !	44
Kazu	54	Porte (La)	28
Kem CoBa	161	Portus Calle	67
Khyber Pass	93	Prato Pizzeria	82
Kitchenette	66	Primi Piatti	180
Labo culinaire (Le)	86	Pullman	43
Laloux	40	Pushap	126
Lapin pressé	149	Qing Hua	99
Laurie Raphaël Montréal	25	Quartier général	91
Lawrence	39	Régine Café	141
Leméac	75	Renard artisan bistro	179
Lezvos Ouest	120	Renoir	51
Liverpool House	72	Roi du wonton (Le)	100
M sur Masson	186	Ruby Burma	131
M : BRGR	150	Saint-Henri	
Maïs	128	micro-torréfacteur	168
Maison Boulud	23	Salle à manger (La)	76
Maison du nord		Santa Barbara	124
(Bei Fang) (La)	185	Satay Brothers	107
Maison Publique	56	Scarpetta	133
Mamie Clafoutis	166	Schwartz's	58
Mandy's	152	Sinclair	32
Mangiafoco	132	Sir Joseph	68
Melk	169	Solémer	83
Mezcla	130	SoupeSoup	153
Milos	24	St-Urbain (Le)	183

243

TA	154
Ta Chido	95
Talay Thai II	92
Tandem	90
Tapeo	117
Tasso bar à mezze	104
Thaïlande	136
Titanic	190
Toqué !	21
Tri Express	115
Triple Crown	110
Tuck Shop	187
Van Horne	31
Vasco da Gama	155
Village Grec	146
Vin Papillon	41

INDEX ALPHABÉTIQUE DES ÉPICERIES

Akhavan	206
Aliments Miyamoto	207
Birri et frères	209
Boucherie Lawrence	211
Chez Apo	205
Chez Louis	210
Chocolaterie À la Truffe !	201
Chocolats de Chloé (Les)	202
Douceurs du Marché (Les)	196
Drogheria Fine	204
Fou d'ici	195
Fous desserts	200
Gourmet Laurier	197
Kim Phat	208
Latina	194
Maître Boucher	198
Milano	203
Olive et Olives	212
Yuki	199

REMERCIEMENTS

Comme chaque année, chaque fois que vient le temps d'écrire ces remerciements, je suis terrorisée à l'idée d'oublier quelqu'un. Il y a tant de gens qui m'aident de près ou de loin. Raquel, sans qui je ne pourrais garder ma santé mentale ; Anne-Laure et Sophie, compagnes de course (et de restaurants) aussi généreuses que cruciales ; Alexandra, qui me traîne et m'endure en voyage, ouvre des portes, rit de mes blagues ; Patrice, à la fois phare et bouée, ancre et radar, mais surtout génial « remetteur » en question.

Aux Éditions La Presse, il y a Martine, évidemment, qui est là depuis le début. Sylvie aussi, sans qui rien ne tiendrait debout. Yannick, Caroline, Sandrine, Marie-Pierre, Sylvie, Célia et toute l'équipe. C'est un charme de travailler avec vous.

Rien ne serait possible non plus sans toute la gang de la rédaction du journal. Mes patrons Éric, Mario, Alexandre, qui me donnent les moyens et le temps de faire mon travail de façon indépendante et la plus éthique possible. Nous sommes très chanceux, à *La Presse*, de travailler dans de telles conditions. Merci à Stéphanie, qui va me manquer, de m'avoir encouragée à faire tant de découvertes. Merci à tous les collègues des cahiers « Gourmand » et « Voyage », dont Eve et Violaine, qui ont gentiment partagé leurs coups de cœur de gastronomes. Merci à Robert Beauchemin d'avoir été là si longtemps et de m'avoir appris autant.

Merci à tous mes amis et amies qui viennent au restaurant avec moi, qui endurent mes choix pas toujours évidents, mes commentaires qui parfois gâchent leur soirée. Merci de me laisser piger dans vos plats et choisir le vin. Je pense à Suzanne, Hivron, tout plein de Nathalie, Philippe, Pascal, Christophe, Alain, Christine et François, Éric et Carole, François et Martha... Merci aux lecteurs qui, chaque année maintenant, achètent le droit de venir manger avec moi tout en encourageant, notamment, la guignolée des médias, mais aussi d'autres œuvres de charité. Chaque fois, je fais ainsi des rencontres exceptionnelles.

Un merci tout particulier à Dorys, sans qui je ne courrais pas cinq fois par semaine, secret non pas tant de la combustion des calories que de la paix intérieure et de la lutte contre le stress. Parce

qu'écrire sur les restaurants provoque parfois quelques questionne-
ments. Merci à tous les lecteurs, chefs et artisans du monde de la
restauration qui me lisent, m'encouragent, m'interrogent justement.

Merci aussi à tous ces gens que je croise un peu partout sur la
planète. Les collègues et travailleurs de ce monde sans frontières
de la gastronomie, qui m'aident à avoir des réservations dans des
bastions inatteignables, à dépister ce qui se fait de plus génial,
réconfortant, fou, un peu partout. Je pense à Elisia, si généreuse,
à Allan, Geneviève, Stefano, Matias, James, Ali aussi, Pierre et
Andrea. Merci aux chefs qui m'ouvrent leurs portes et m'offrent à
la fois expériences et nouveaux points de repère, qui acceptent de
me raconter leurs histoires.

Je suis terrorisée, je vous le répète, à l'idée d'oublier quelqu'un,
mais je m'arrête ici en me disant que je me reprendrai l'an prochain. En me disant aussi que le plus grand des mercis va surtout
à mon mari Patrice, comme je l'ai dit, et à mes trois enfants, qui
endurent cette vie de voyages et de sorties constantes. Quand ils
viennent avec moi essayer de nouvelles tables, c'est une fête, et leur
mémoire et leurs commentaires me sont précieux. Leur regard est
toujours pertinent. Vous leur en devez tous une. Merci, mes chéris.

Marie-Claude
Septembre 2013

MARQUIS

Québec, Canada